CB035398

Poemas

Sylvia Plath

POEMAS

Organização, tradução, ensaios e notas
Rodrigo Garcia Lopes
Maurício Arruda Mendonça

2ª edição
revista e ampliada

ILUMINURAS

Títulos originais
The Sleepers © 1959 SP/ *Stillborn* © 1960 SP/ *Morning Song* © 1961 SP/ *The Rival* © 1961 SP/ *The Moon and the Yew Tree* © 1963 SP/ *Mirror* © 1963 Ted Hughes/ *Crossing the Water* © 1962 SP/ *Elm* © 1962 SP/ *Poppies in July* © 1965 SP/ *The Arrival of the Bee Box* © 1962 SP/ *Lesbos* © 1966 Ted Hughes/ *Fever 103°* © 1962 SP/ *Cut* © 1962 SP/ *Ariel* © 1962 SP/ *Lady Lazarus* © 1963 SP/ *The Couriers* © 1962 SP/ *Gulliver* © 1962 SP/ *Death & Co.* © 1962 SP/ *Sheep in Fog* © 1963 SP/ *The Munich Munnequins* © 1963 SP/ *Child* © 1963 SP/ *Paralytic* © 1963 SP/ *Kindness* © 1963 SP/ *Words* © 1963 SP/ *Contusion* © 1963 SP/ *Ballons* © 1963 SP/ *Edge* © 1963 SP. (Legenda: SP = Sylvia Plath)

Os poemas desta coletânea foram tirados da obra THE COLLECTED POEMS OF SYLVIA PLATH, editado por Ted Hughes e publicados com a permissão da Harper Collins Publishers.

As fotos desta edição foram publicadas com autorização da família da autora.

Capa
Eder Cardoso / Iluminuras
sobre *Second Story Sunlight* (1960), óleo sobre tela [101,6 x 127 cm], Edward Hopper.
Cortesia Whitney Mueum of American Art, Nova York

DADOS INTERNACIONAIS DE CATALOGAÇÃO NA PUBLICAÇÃO (CIP)
(Câmara Brasileira do Livro, SP, Brasil)

Plath, Sylvia, 1932-1963
Poemas / Sylvia Plath : organização, tradução, ensaio e notas Rodrigo Garcia Lopes Maurício Arruda Mendonça — 2. edição — São Paulo, Iluminuras, 2007.

Título original: The collected Poems of Sylvia Plath
Edição Bilingue: Português/Inglês
Bibliografia
ISBN 85-7321-242-X

1. Poesia norte-americana I. Lopes, Rodrigo Garcia II. Mendonça, Maurício Arruda III. Título

07-6125 CDD-811.3

Índices para catálogo sistemático:
1. Poesia : Literatura norte-americana 811.3

2024
ILUMINURAS
desde 1987

Rua Salvador Corrêa, 119 | Aclimação | São Paulo/SP | Brasil
04109-070 | Telefone: 55 11 3031-6161
iluminuras@iluminuras.com.br
www.iluminuras.com.br

ÍNDICE

POEMAS

SOBRE SYLVIA PLATH

POEMAS

1959

THE SLEEPERS

No map traces the street
Where those two sleepers are.
We have lost track of it.
They lie as if under water
In a blue, unchanging light,
The French window ajar

Curtained with yellow lace.
Through the narrow crack
Odors of wet earth rise.
The snail leaves a silver track;
Dark thickets hedge the house.
We take a backward look.

Among petals pale as death
And leaves steadfast in shape
They sleep on, mouth to mouth.
A white mist is going up.
The small green nostrils breathe,
And they turn in their sleep.

Ousted from that warm bed
We are a dream they dream.
Their eyelids keep the shade.
No harm can come to them.
We cast our skins and slide
Into another time.

OS ADORMECIDOS

Nem um só mapa registra
A rua dos dois adormecidos.
Nós perdemos sua pista.
Jazem como se submersos
Em imutável luz azul,
Aberta, a porta de vidros

Com laços de fita amarela.
Por esta fresta penetra
Odores de terra úmida.
A lesma deixa um rastro prata;
Negras sebes cercam a casa.
Então olhamos para trás.

Morte feito pétalas lívidas
Entre folhas de formas tesas
Eles dormem, boca a boca.
Uma névoa branca esvoaça.
Suspiram narinas mínimas,
E eles reviram em seu sono.

Longe daquele leito ameno
Somos um sonho que eles sonham.
Suas pálpebras retêm sombras.
Nada vai lhes acontecer.
Trocamos a pele e nos movemos
Dentro de um outro tempo.

1960

STILLBORN

These poems do not live: it's a sad diagnosis.
They grew their toes and fingers well enough,
Their little foreheads bulged with concentration.
If they missed out on walking about like people
It wasn't for any lack of mother-love.

O I cannot understand what happened to them!
They are proper in shape and number and every part.
They sit so nicely in the pickling fluid!
They smile and smile and smile and smile at me.
And still the lungs won't fill and the heart won't start.

They are not pigs, they are not even fish,
Though they have a piggy and a fishy air —
It would be better if they were alive, and that's what they were.
But they are dead, and their mother near dead with distraction,
And they stupidly stare, and do not speak of her.

NATIMORTO

Estes poemas não vivem: triste diagnóstico.
Seus pés e mãos já cresceram o normal,
As testinhas enrugaram, de concentração.
Se não se perdem ou passeiam como gente
Não foi por falta de amor maternal.

Ó, não posso entender o que há com eles!
São exatos em número, forma e partes.
Ficam tão lindos curtindo como picles!
Ficam sorrindo e sorrindo e sorrindo pra mim.
Mas os pulmões não enchem e o coração não bate.

Não são porcos, nem mesmo peixes,
Embora o ar de porco e peixe que os revela —
Quem dera fossem vivos, como um dia foram.
Mas estão mortos, e sua mãe quase morta de descaso,
Encaram como estúpidos, e não falam dela.

1961

MORNING SONG

Love set you going like a fat gold watch.
The midwife slapped your footsoles, and your bald cry
Took its place among the elements.

Our voices echo, magnifying your arrival. New statue.
In a drafty museum, your nakedness
Shadows our safety. We stand round blankly as walls.

I'm no more your mother
Than the cloud that distills a mirror to reflect its own slow
Effacement at the wind's hand.

All night your moth-breath
Flickers among the flat pink roses. I wake to listen:
A far sea moves in my ear.

One cry, and I stumble from bed, cow-heavy and floral
In my Victorian nightgown.
Your mouth opens clean as a cat's. The window square

Whitens and swallows its dull stars. And now you try
Your handful of notes;
The clear vowels rise like balloons.

19 February 1961

CANÇÃO DA MANHÃ

O amor te põe pra funcionar, relógio de ouro puro.
A parteira surra suas nádegas, e seu grito nu
Se aninha entre os elementos.

Nossas vozes ecoam, louvando sua vinda. Estátua nova.
Num museu arejado, sua nudez
Ameaça nossa segurança. Ficamos rodeando, brancos como paredes.

Não sou mais sua mãe
Do que a nuvem que desfaz o espelho que a reflete,
Rabisco lento na mão do vento.

De noite sua respiração corrosiva
Vacila entre rosas lisas. Acordo para ouvir:
Longe, um mar movendo em meus ouvidos.

Um grito, e escorrego da cama, vaca obesa e floral
Em minha camisola vitoriana.
Sua boca se abre, limpa como a de um gato. A vidraça

Empalidece e suga estrelas sujas. E agora você confere
Suas anotações;
Vogais claras sobem feito balões.

THE RIVAL

If the moon smiled, she would resemble you.
You leave the same impression
Of something beautiful, but annihilating.
Both of you are great light borrowers.
Her O-mouth grieves at the world; yours is unaffected,

And your first gift is making stone out of everything.
I wake to a mausoleum; you are here,
Ticking your fingers on the marble table, looking for cigarettes,
Spiteful as a woman, but not so nervous,
And dying to say something unanswerable.

The moon, too, abases her subjects,
But in the daytime she is ridiculous.
Your dissatisfactions, on the other hand,
Arrive through the mailslot with loving regularity,
White and blank, expansive as carbon monoxide.

No day is safe from news of you,
Walking about in Africa maybe, but thinking of me.

July 1961

RIVAL

Se a lua sorrisse, teria a sua cara.
Você também deixa a mesma impressão
De algo lindo, mas aniquilante.
Ambos são peritos em roubar a luz alheia.
Nela, a boca aberta se lamenta ao mundo; a sua é sincera,

E na primeira chance faz tudo virar pedra.
Acordo num mausoléu; te vejo aqui,
Tamborilando na mesa de mármore, procurando cigarros,
Desconfiado como uma mulher, não tão nervoso assim,
E louco pra dizer algo irrespondível.

A lua, também, humilha seus súditos,
Mas de dia ela é ridícula.
Suas reclamações, por outro lado,
Pousam na caixa do correio com regularidade encantadora,
Brancas e limpas, expansivas como monóxido de carbono.

Nem um dia se passa sem notícias suas,
Vadiando pela África, talvez, mas pensando em mim.

THE MOON AND THE YEW TREE

This is the light of the mind, cold and planetary.
The trees of the mind are black. The light is blue.
The grasses unload their griefs on my feet as if I were God,
Prickling my ankles and murmuring of their humility.
Fumy, spiritous mists inhabit this place
Separated from my house by a row of headstones.
I simply cannot see where there is to get to.

The moon is no door. It is a face in its own right,
White as a knuckle and terribly upset.
It drags the sea after it like a dark crime; it is quiet
With the O-gape of complete despair. I live here.
Twice on Sunday, the bells startle the sky —
Eight great tongues affirming the Resurrection.
At the end, they soberly bong out their names.

The yew tree points up. It has a Gothic shape.
The eyes lift after it and find the moon.
The moon is my mother. She is not sweet like Mary.
Her blue garments unloose small bats and owls.
How I would like to believe in tenderness —
The face of the effigy, gentled by candles,
Bending, on me in particular, its mild eyes.

I have fallen a long way. Clouds are flowering
Blue and mystical over the face of the stars.
Inside the church, the saints will be all blue,
Floating on their delicate feet over the cold pews,
Their hands and faces stiff with holiness.
The moon sees nothing of this. She is bald and wild.
And the message of the yew tree is blackness — blackness and silence.

22 October 1961

A LUA E O TEIXO

Esta é a luz da mente, fria e planetária.
As árvores da mente são negras. A luz, azul.
A grama chora e se ajoelha aos meus pés como se eu fosse Deus,
Arranhando meus tornozelos, murmurando sua humildade.
Vapor, névoa espiritual habita este lugar
Separado de meu lar por uma fileira de lápides.
Simplesmente não consigo ver onde vão dar.

A lua não tem porta. É uma face em seu pleno direito,
Branca feito cartilagem, incrivelmente chata.
Draga o mar como depois de um crime sujo; está quieta
Com a boca aberta em completo desespero. Eu vivo aqui.
Duas vezes aos domingos os sinos despertam o céu —
Oito línguas gigantes louvam a Ressurreição.
E no fim, soberbas, badalam seus nomes.

O teixo desponta. Tem algo de gótico.
O olhar se eleva e vê a lua.
A lua é minha mãe. Mas não é doce como Maria.
Seu manto azul oculta corujas e morcegos.
Quem dera acreditasse no carinho —
O rosto da imagem suavizada por velas,
Derramando, só em mim, seus olhos meigos.

Tenho tropeçado no caminho. Nuvens florescem
Azuis e místicas sobre a face das estrelas.
Na igreja todos os santos serão azuis,
Levitando sobre bancos frios com seus delicados pés,
Suas mãos, as faces tesas de santidade.
A lua nada vê. É calva e selvagem.
A mensagem do teixo é escuridão — escuridão e silêncio.

MIRROR

I am silver and exact. I have no preconceptions.
Whatever I see I swallow immediately
Just as it is, unmisted by love or dislike.
I am not cruel, only truthful —
The eye of a little god, four-cornered.
Most of the time I meditate on the opposite wall.
It is pink, with speckles. I have looked at it so long
I think it is a part of my heart. But it flickers.
Faces and darkness separate us over and over.

Now I am a lake. A woman bends over me,
Searching my reaches for what she really is.
Then she turns to those liars, the candles or the moon.
I see her back, and reflect it faithfully.
She rewards me with tears and an agitation of hands.
I am important to her. She comes and goes.
Each morning it is her face that replaces the darkness.
In me she has drowned a young girl, and in me an old woman
Rises toward her day after day, like a terrible fish.

23 October 1961

ESPELHO

Sou prateado e exato. Não tenho preconceitos.
Tudo o que vejo engulo no mesmo momento
Do jeito que é, sem manchas de amor ou desprezo.
Não sou cruel, apenas verdadeiro —
O olho de um pequeno deus, com quatro cantos.
O tempo todo medito do outro lado da parede.
Cor-de-rosa, malhada. Há tanto tempo olho para ele
Que acho que faz parte do meu coração. Mas ele falha.
Escuridão e faces nos separam mais e mais.

Sou um lago, agora. Uma mulher se debruça sobre mim,
Buscando em minhas margens sua imagem verdadeira.
Então olha aquelas mentirosas, as velas ou a lua.
Vejo suas costas, e a reflito fielmente.
Me retribui com lágrimas e acenos.
Sou importante para ela. Ela vai e vem.
A cada manhã seu rosto repõe a escuridão.
Ela afogou uma menina em mim, e em mim uma velha
Emerge em sua direção, dia a dia, como um peixe terrível.

1962

CROSSING THE WATER

Black lake, black boat, two black, cut-paper people.
Where do the black trees go that drink here?
Their shadows must cover Canada.

A little light is filtering from the water flowers.
Their leaves do not wish us to hurry:
They are round and flat and full of dark advice.

Cold worlds shake from the oar.
The spirit of blackness is in us, it is in the fishes.
A snag is lifting a valedictory, pale hand;

Stars open among the lilies.
Are you not blinded by such expressionless sirens?
This is the silence of astounded souls.

4 April 1962

TRAVESSIA

Lago negro, barco negro, duas pessoas de papel picado negro.
O que as árvores buscam de beber que não encontram aqui?
Suas sombras podem cobrir o Canadá.

Uma luz leve dissolvida pelas flores d'água.
Suas folhas não desejam nossa pressa:
Curvas e lisas e cheias de negros avisos.

No rastro dos remos, mundos de gelo.
O espírito do negro está em nós, nos peixes.
Um tronco podre flutuando, pálido adeus;

Estrelas se abrem entre lírios.
Estas sereias inexpressivas não te cegam?
Esse é o silêncio das almas atormentadas.

ELM

For Ruth Fainligh

I know the bottom, she says. I know it with my great tap root:
It is what you fear.
I do not fear it: I have been there.

Is it the sea you hear in me,
Its dissatisfactions?
Or the voice of nothing, that was your madness?

Love is a shadow.
How you lie and cry after it
Listen: these are its hooves: it has gone off, like a horse.

All night I shall gallop thus, impetuously,
Till your head is a stone, your pillow a little turf,
Echoing, echoing.

Or shall I bring you the sound of poisons?
This is rain now, this big hush.
And this is the fruit of it: tin-white, like arsenic.

I have suffered the atrocity of sunsets.
Scorched to the root
My red filaments burn and stand, a hand of wires.

Now I break up in pieces that fly about like clubs.
A wind of such violence
Will tolerate no bystanding: I must shriek.

The moon, also, is merciless: she would drag me
Cruelly, being barren.
Her radiance scathes me. Or perhaps I have caught her.
I let her go. I let her go

OLMO

Para Ruth Fainlight

Sei o que há no fundo, ela diz. Conheço com minha própria raiz.
Era o que você temia.
Eu não: já estive lá.

É o mar que você ouve em mim,
Suas frustrações?
Ou a voz do nada, essa é sua loucura?

O amor é uma sombra.
Como você chora e mente por ele.
Ouça: estes são seus cascos: fugiram, como cavalos.

Vou galopar a noite inteira assim, impetuosa,
Até que sua cabeça vire pedra, seu travesseiro vire turfa,
Ecoando, ecoando.

Ou devo te trazer o borbulhar das poções?
Isso agora é chuva, esse silêncio imenso.
E este é seu fruto: branco-metálico, como arsênico.

Sofri a atrocidade dos poentes.
Queimada até as raízes
Meus filamentos ardem e ficam, emaranhados de arames.

Meus estilhaços se espalham em centelhas.
Um vento violento assim
Não suporta obstáculos: preciso gritar.

A lua, também, não tem pena de mim: me engole
Cruel e estéril.
Seus raios me arruínam. Ou quem sabe a peguei.
Eu a deixo ir, ir

Diminished and flat, as after radical surgery.
How your bad dreams possess and endow me.

I am inhabited by a cry.
Nightly it flaps out
Looking, with its hooks, for something to love.

I am terrified by this dark thing
That sleeps in me;
All day I feel its soft, feathery turnings, its malignity.

Clouds pass and disperse.
Are those the faces of love, those pale irretrievables?
Is it for such I agitate my heart?

I am incapable of more knowledge.
What is this, this face
So murderous in its strangle of branches? —

Its snaky acid kiss.
It petrifies the will. These are the isolate, slow faults
That kill, that kill, that kill.

19 April 1962

Magra e minguante, como depois de uma cirurgia radical.
Seus pesadelos me enfeitam e me possuem.

Dentro de mim mora um grito.
De noite ele sai com suas garras, à caça
De algo pra amar.

Sou aterrorizada por essa coisa negra
Que dorme em mim;
O dia inteiro sinto seu roçar leve e macio, sua maldade.

Nuvens passam e se dispersam.
São estas as faces do amor, pálidas, irrecuperáveis?
Foi pra isso que agitei meu coração?

Sou incapaz de mais compreensão.
E o que é isso agora, essa face
Assassina em seus galhos sufocantes? —

O beijo traiçoeiro da serpente.
Petrifica o desejo. Esses são os erros, solitários e lentos,
Que matam, matam, matam.

POPPIES IN JULY

Little poppies, little hell flames,
Do you do no harm?

You flicker. I cannot touch you.
I put my hands among the flames. Nothing burns.

And it exhausts me to watch you
Flickering like that, wrinkly and clear red, like the skin of a mouth.

A mouth just bloodied.
Little bloody skirts!

There are fumes that I cannot touch.
Where are your opiates, your nauseous capsules?

If I could bleed, or sleep! —
If my mouth could marry a hurt like that!

Or your liquors seep to me, in this glass capsule,
Dulling and stilling.

But colorless. Colorless.

20 July 1962

PAPOULAS EM JULHO

Pequenas papoulas, pequenas chamas do inferno,
Vocês fazem mal?

Vocês se mexem. Não posso tocá-las.
Meto as mãos entre as chamas. Nada me queima.

E me cansa ficar aqui olhando
Vocês se mexendo assim, enrugadas e rubras, como a pele de uma boca.

Uma boca sangrando.
Pequenas franjas sangrentas!

Há fumos que não posso tocar.
Onde estão seus ópios, suas cápsulas que enjoam?

Se eu pudesse sangrar, ou dormir! —
Se minha boca se unisse a essa ferida!

Ou se seus licores me sedassem, nessa cápsula de vidro.
Entorpecendo e acalmando.

Mas sem cor. Incolor.

THE ARRIVAL OF THE BEE BOX

I ordered this, this clean wood box
Square as a chair and almost too heavy to lift.
I would say it was the coffin of a midget
Or a square baby
Were there not such a din in it.

The box is locked, it is dangerous.
I have to live with it overnight
And I can't keep away from it.
There are no windows, so I can't see what is in there.
There is only a little grid, no exit.

I put my eye to the grid.
It is dark, dark,
With the swarmy feeling of African hands
Minute and shrunk for export,
Black on black, angrily clambering.

How can I let them out?
It is the noise that appalls me most of all,
The unintelligible syllables.
It is like a Roman mob,
Small, taken one by one, but my god, together!

I lay my ear to furious Latin.
I am not a Caesar.
I have simply ordered a box of maniacs.
They can be sent back.
They can die, I need feed them nothing, I am the owner.

I wonder how hungry they are.
I wonder if they would forget me
If I just undid the locks and stood back and turned into a tree.
There is the laburnum, its blond colonnades,
And the petticoats of the cherry.

A CHEGADA DA CAIXA DE ABELHAS

Eu mesma pedi, esta caixa de madeira
Branca e quadrada como uma cadeira, pesada demais.
Diria que é o esquife de um anão
Ou de um bebê quadrado
Não fosse o rumor que vem de dentro.

Está fechada agora, é perigosa.
Devo zelar por ela a noite inteira
E não posso me afastar.
Não há saída, é impossível ver o que há nela.
Só uma pequena tela, sem janelas.

Espio pela fresta.
Tudo escuro, escuro,
Pelo enxame zangado de mãos africanas
Miúdas, prensadas para exportação,
Negro no negro, escalando com ira.

Soltá-las, quem dera?
O zumbido é o que mais me apavora,
As sílabas incompreensíveis.
São como uma turba romana,
Não são nada sozinhas, mas juntas, meu deus!

Ouço ansiosa esse latim furioso.
Não sou um César.
Só encomendei uma caixa de maníacas.
Posso devolvê-las.
Ou deixá-las morrer, sou a dona, não preciso alimentá-las.

Imagino quanta fome sentem.
Imagino se me esquecessem
Se eu abrisse a tampa e recuasse e virasse árvore.
Há um laburno, com suas colunas louras,
E anáguas de cereja.

They might ignore me immediately
In my moon suit and funeral veil.
I am no source of honey
So why should they turn on me?
Tomorrow I will be sweet God, I will set them free.

The box is only temporary.

4 October 1962

Podiam de repente me ignorar
Em meu véu funerário, em meu vestido lunar.
Não sou fonte de mel.
Por que dão voltas em mim?
Amanhã serei o doce Deus, vou soltá-las enfim.

A caixa é apenas temporária.

LESBOS

Viciousness in the kitchen!
The potatoes hiss.
It is all Hollywood, windowless,
The fluorescent light wincing on and off like a terrible migraine,
Coy paper strips for doors —
Stage curtains, a widow's frizz.
And I, love, am a pathological liar,
And my child — look at her, face down on the floor,
Little unstrung puppet, kicking to disappear —
Why she is schizophrenic,
Her face red and white, a panic,
You have stuck her kittens outside your window
in a sort of cement well
Where they crap and puke and cry and she can' t hear.
You say you can't stand her,
The bastard's a girl.
You who have blown your tubes like a bad radio
Clear of voices and history, the staticky
Noise of the new.
You say I should drown the kittens. Their smell!
You say I should drown my girl.
She'll cut her throat at ten if she's mad at two.
The baby smiles, fat snail,
From the polished lozenges of orange linoleum.
You could eat him. He's a boy.
You say your husband is just no good to you.
His Jew-Mama guards his sweet sex like a pearl.
You have one baby, I have two.
I should sit on a rock off Cornwall and comb my hair.
I should wear tiger pants, I should have an affair.
We should meet in another life, we should meet in air,
Me and you.

Meanwhile there's a stink of fat and baby crap.
I'm doped and thick from my last sleeping pill.
The smog of cooking, the smog of hell

LESBOS

Safadeza na cozinha!
As batatas sibilam.
Isso é Hollywood, sem janelas,
A luz fluorescente oscila como uma enxaqueca terrível.
Nas portas, tiras de papel —
Cortinas de teatro, o cabelo crespo da viúva.
E eu, Amor, sou uma mentirosa patológica,
E minha filha — olhe só pra ela, de cara no assoalho,
Fantoche sem cordas, tremendo até sumir —
Como é esquizofrênica,
Sua cara corada e pálida, em pânico:
Você botou os gatos dela pra fora da janela
Numa caixa com areia
Onde podem vomitar e cagar e miar sem que ela possa ouvir.
Você diz que não suporta mais,
A putinha.
Você queimou suas válvulas como um rádio velho
Limpo de vozes e história, o ruído novo
Da estática.
Você diz que eu afogaria os gatinhos. Que fedor!
Você diz que eu afogaria a minha filha.
Ela vai cortar a garganta aos dez se não pirar aos dois.
O sorriso do bebê, lesma obesa,
Nos losangos lustrados de linóleo laranja.
Você podia comê-lo. É um menino.
Você diz que seu marido não é bom pra você.
Sua mãe judia vigia seu sexo como joia.
Você tem um bebê, eu tenho dois.
Eu bem podia me sentar numa rocha e me pentear.
Podia usar colã de tigresa e ter um affair.
A gente bem que podia se ver na outra vida, se ver no ar,
Só eu e você.

Porém há um cheiro de banha e cocô de bebê.
Estou dopada e enjoada depois do último sonífero.
Fumaça de cozinha, fumaça infernal

Floats our heads, two venomous opposites,
Our bones, our hair.
I call you Orphan, orphan. You are ill.

The sun gives you ulcers, the wind gives you T.B.
Once you were beautiful.
In New York, in Hollywood, the men said: 'Through?
Gee baby, you are rare.'
You acted, acted, acted for the thrill.
The impotent husband slumps out for a coffee.
I try to keep him in,
An old pole for the lightning,
The acid baths, the skyfuls off of you.
He lumps it down the plastic cobbled hill,
Flogged trolley. The sparks are blue.
The blue sparks spill,
Splitting like quartz into a million bits.

O jewel! O valuable!
That night the moon
Dragged its blood bag, sick
Animal
Up over the harbor lights.
And then grew normal,
Hard and apart and white.
The scale-sheen on the sand scared me to death.
We kept picking up handfuls, loving it,
Working it like dough, a mulatto body,
The silk grits.
A dog picked up your doggy husband. He went on.

Now I am silent, hate
Up to my neck,
Thick, thick.
I do not speak.
I am packing the hard potatoes like good clothes,
I am packing the babies,
I am packing the sick cats.
O vase of acid,

Nos sobrevoa, rivais venenosas,
Nossos ossos, nossos pelos.
Te xingo de Órfã, órfã. Você está doente.

O sol te dá úlcera, o vento, tuberculose.
Um dia você foi bonita.
Em Nova York, em Hollywood, os homens te diziam: "Acabou?
Gata, você é demais!".
Você servia, servia, servia pro papel.
E o marido brocha sai pra tomar um café.
Tento segurá-lo, não saio,
Relâmpago para um velho pára-raio,
Os banhos ácidos, um céu inteiro cheio de você.
Ele despenca da colina de plástico,
Trem desgovernado. Faíscas azuis se espalham,
Trincando como quartzo em milhões de pedacinhos.

O joia! Ó valiosa!
Naquela noite a lua
Arrastou seu saco de sangue, animal
Doente
Por sobre as luzes do cais.
Então voltava ao crescente,
Dura, branca e ausente.
Na areia o brilho das escamas me matava de medo.
A gente as apanhava aos montes, curtindo,
Modelando-as como massa, um corpo mulato,
Grãos de seda.
Um cachorro pegou o seu marido cachorro. E se mandou.

Agora estou quieta, ódio
Até o pescoço,
Grosso, grosso.
Não falo nisso.
Empacoto batatas como roupas finas,
Empacoto os bebês,
Empacoto os gatos doentes.
Oh, ampola de ácido,

It is love you are full of. You know who you hate.
He is hugging his ball and chain down by the gate
That opens to the sea
Where it drives in, white and black,
Then spews it back.
Every day you fill him with soul-stuff, like a pitcher.
You are so exhausted.

Your voice my ear-ring,
Flapping and sucking, blood-loving bat.
That is that. That is that.
You peer from the door,
Sad hag. 'Every woman's a whore.
I can't communicate'.

I see your cute décor
Close on you like the fist of a baby
Or an anemone, that sea
Sweetheart, that kleptomaniac.
I am still raw.
I say I may be back.
You know what lies are for.

Even in your Zen heaven we shan't meet.

18 October 1962

É de amor que você está cheia. Você sabe quem você odeia.
Ele ruge e arrasta as correntes pelo portão
Que se abre pro mar
Onde ele invade, preto e branco,
E o vomita de volta.
Você o enche com seus papos profundos, como um jarro.
Você está um trapo.

Sua voz, meu brinco,
Voa e suga, morcego que ama sangue.
Isso é isso. Aquilo é aquilo.
Você escuta atrás da porta,
Bruxa triste. "Toda mulher é uma puta.
Não consigo dialogar."

Vejo seu fino décor
Te fechando como o punho de um bebê
Ou uma anêmona, esse mar,
Meu bem, cleptomaníaco.
Ainda estou crua.
Quem sabe um dia eu vou voltar.
Você sabe pra que servem as mentiras.

Nem no seu paraíso Zen a gente vai se cruzar.

FEVER 103°

Pure? What does it mean?
The tongues of hell
Are dull, dull as the triple

Tongues of dull, fat Cerberus
Who wheezes at the gate. Incapable
Of licking clean

The aguey tendon, the sin, the sin.
The tinder cries.
The indelible smell

Of a snuffed candle!
Love, love, the low smokes roll
From me like Isadora's scarves, I'm in a fright

One scarf will catch and anchor in the wheel.
Such yellow sullen smokes
Make their own element. They will not rise,

But trundle round the globe
Choking the aged and the meek,
The weak

Hothouse baby in its crib,
The ghastly orchid
Hanging its hanging garden in the air,

Devilish leopard!
Radiation turned it white
And killed it in an hour.

Greasing the bodies of adulterers
Like Hiroshima ash and eating in.
The sin. The sin.

FEBRE, 40°

Pura? Como assim?
As línguas do inferno
São sujas, sujas como as três

Línguas do sujo e gordo Cérbero
Que arfa ao portão. Incapaz
De lamber e limpar

O membro em febre, o pecado, o pecado.
A chama chora.
O cheiro inconfundível

De um toco de vela!
Amor, amor, a fumaça escapa de mim
Como a echarpe de Isadora, e temo

Que uma das pontas ancore-se na roda.
Uma fumaça amarela e lenta assim
Faz de si seu elemento. Não vai subir,

Mas envolver o globo
Sufocando o velho e o oprimido,
O frágil

Bebê em seu berço,
Orquídea pálida
Suspensa em seu jardim suspenso no ar,

Leopardo diabólico!
A radiação o embranquece
E o mata em uma hora.

Engordurando os corpos dos adúlteros
Como as cinzas de Hiroshima que os devora.
O pecado. O pecado.

Darling, all night
I have been flickering, off, on, off, on.
The sheets grow heavy as a lecher's kiss.

Three days. Three nights.
Lemon water, chicken
Water, water make me retch.

I am too pure for you or anyone.
Your body
Hurts me as the world hurts God. I am a lantern —

My head a moon
Of Japanese paper, my gold beaten skin
Infinitely delicate and infinitely expensive.

Does not my heat astound you. And my light.
All by myself I am a huge camellia
Glowing and coming and going, flush on flush.

I think I am going up,
I think I may rise —
The beads of hot metal fly, and I, love, I

Am a pure acetylene
Virgin
Attended by roses,

By kisses, by cherubim,
By whatever these pink things mean.
Not you, nor him

Not him, nor him
(My selves dissolving, old whore petticoats) —
To Paradise.

20 October 1962

Meu bem, passei a noite
Me virando, indo e vindo, indo e vindo.
Os lençóis me oprimindo como o beijo de um devasso.

Três dias. Três noites.
Limonada, canja
Aguada, água me deixe enjoada.

Sou pura demais pra você ou pra qualquer um.
Seu corpo
Me ofende como o mundo ofende Deus. Sou uma lanterna —

Minha cabeça uma lua
De papel japonês, minha pele folheada a ouro
Infinitamente delicada e infinitamente cara.

Meu calor não te assusta. Nem minha luz.
Sou uma camélia imensa
Que oscila e jorra e brilha, gozo a gozo.

Acho que estou chegando,
Acho que posso levantar —
Contas de metal ardente voam, e eu, amor, eu

Sou uma virgem pura
De acetileno
Cercada de rosas,

De beijos, de querubins,
Ou do que sejam essas coisas róseas.
Não você, nem ele,

Não ele, nem ele
(Eu me dissolvo toda, anágua de puta velha) —
Ao Paraíso.

CUT

For Susan O'Neill Roe

What a thrill —
My thumb instead of an onion.
The top quite gone
Except for a sort of a hinge

Of skin,
A flap like a hat,
Dead white.
Then that red plush.

Little pilgrim,
The Indian's axed your scalp.
Your turkey wattle
Carpet rolls

Straight from the heart.
I step on it,
Clutching my bottle
Of pink fizz.

A celebration, this is.
Out of a gap
A million soldiers run,
Redcoats, every one.

Whose side are they on?
O my
Homunculus, I am ill.
I have taken a pill to kill

The thin
Papery feeling.

CORTE

Para Susan O'Neill Roe

Que arrepio —
No lugar da cebola, meu polegar.
A ponta quase se foi
Não fosse por um fio

De pele,
Aba de chapéu,
Branca e morta.
E uma pelúcia rubra.

Pequeno peregrino,
Os índios arrancaram teu escalpo.
Papo de peru, teu tapete
Se estende

Do fundo do coração.
Eu piso nele,
Segurando essa garrafa
De espuma rosé.

Uma festa, é isso.
Por essa fresta fogem
Milhares de soldados,
Jaquetas-vermelhas, um a um.

De que lado estão, afinal?
Ó, meu
Homúnculo, estou mal.
Tomei a pílula letal

Àquela fina
Sensação de papel.

Saboteur,
Kamikaze man —
The stain on your
Gauze Ku Klux Klan
Babushka
Darkens and tarnishes and when

The balled
Pulp of your heart
Confronts its small
Mill of silence

How you jump —
Trepanned veteran,
Dirty girl,
Thumb stump.

24 October 1962

Sabotadora,
Kamikaze —
A mancha em sua
Gaze Ku Klux Klan
Babushka
Escurece e suja e quando

A polpa
Redonda do teu coração
Enfrenta teu minúsculo
Moinho de silêncio,

Você cai —
Capturado; veterano,
Menina vadia,
Polegar amputado.

ARIEL

Stasis in darkness.
Then the substanceless blue
Pour of tor and distances.

God's lioness,
How one we grow,
Pivot of heels and knees! — The furrow

Splits and passes, sister to
The brown arc
Of the neck I cannot catch,

Nigger-eye
Berries cast dark
Hooks —

Black sweet blood mouthfuls,
Shadows.
Something else

Hauls me through air —
Thighs, hair;
Flakes from my heels.

White
Godiva, I unpeel —
Dead hands, dead stringencies.

And now I
Foam to wheat, a glitter of seas.
The child's cry

Melts in the wall.
And I
Am the arrow,

ARIEL

Estase no escuro.
E um fluir azul sem substância
De penhasco e distâncias.

Leoa de Deus,
Nos tornamos uma,
Eixo de calcanhares e joelhos! — O sulco

Fende e passa, irmã do
Arco castanho
Do pescoço que não posso abraçar,

Olhinegras
Bagas cospem escuras
Iscas —

Goles de sangue negro e doce,
Sombras.
Algo mais

Me arrasta pelos ares —
Coxas, pêlos;
Escamas de meus calcanhares.

Godiva
Branca, me descasco —
Mãos secas, secas asperezas.

E agora
Espumo com o trigo, reflexo de mares.
O grito da criança

Escorre pelo muro
E eu
Sou a flecha,

The dew that flies
Suicidal, at one with the drive
Into the red

Eye, the cauldron of morning.

27 October 1962

Orvalho que avança,
Suicida, e de uma vez se lança
Contra o olho

Vermelho, fornalha da manhã.

LADY LAZARUS

I have done it again.
One year in every ten
I manage it —

A sort of walking miracle, my skin
Bright as a Nazi lampshade,
My right foot

A paperweight,
My face a featureless, fine
Jew linen.

Peel off the napkin
O my enemy.
Do I terrify? —

The nose, the eye pits, the full set of teeth?
The sour breath
Will vanish in a day.

Soon, soon the flesh
The grave cave ate will be
At home on me

And I a smilling woman.
I am only thirty.
And like the cat I have nine times to die.

This is Number Three.
What a trash
To annihilate each decade.

What a million filaments.
The peanut-crunching crowd
Shoves in to see

LADY LAZARUS

Tentei outra vez.
A cada dez anos
Eu tramo tudo —

Um tipo de milagre ambulante, minha pele
Brilha como um abajur nazista,
Meu pé direito

Um peso de papel,
Face sem feições, fino
Linho judeu.

Livre-me dos panos
Oh, meu inimigo.
Eu te aterrorizo? —

O nariz, as covas dos olhos, os dentes postiços?
O hálito azedo
Some num só dia.

Logo logo a carne,
Que a caverna carcomeu, vai voltar
Pra casa, em mim.

Sou uma mulher que sorri.
Não passei dos trinta.
E como um gato tenho nove vidas.

Esta é a Terceira.
Que besteira
Se aniquilar a cada década.

Milhões de filamentos!
A plateia comendo amendoins
Se aglomera para ver

Them unwrap me hand and foot —
The big strip tease.
Gentlemen, ladies

These are my hands
My knees.
I may be skin and bone,

Nevertheless, I am the same, identical woman.
The first time it happened I was ten.
It was an accident.

The second time I meant
To last it out and not come back at all.
I rocked shut

As a seashell.
They had to call and call
And pick the worms off me like sticky pearls.

Dying
Is an art, like everything else.
I do it exceptionally well.

I do it so it feels like hell.
I do it so it feels real.
I guess you could say I've a call.

It's easy enough to do it in a cell.
It's easy enough to do it and stay put.
It's the theatrical

Comeback in broad day
To the same place, the same face, the same brute
Amused shout:

'A miracle!'
That knocks me out.
There is a charge

Desenfaixarem minhas mãos e meus pés —
O grande strip-tease.
Senhoras e senhores,

Eis minhas mãos,
Meus joelhos.
Posso ser só pele e osso,

Mas sou a mesma, idêntica mulher.
Na primeira vez tinha dez anos.
Foi acidente.

Na segunda tentei
Acabar com tudo e nunca mais voltar.
E rolei, fechada

Como uma concha do mar.
Tiveram de chamar e chamar
E arrancar os vermes de mim como pérolas grudentas.

Morrer
É uma arte, como tudo o mais.
Nisso sou excepcional.

Faço isso parecer infernal.
Faço isso parecer real.
Digamos que eu tenha vocação.

É fácil demais fazer isso na prisão.
É fácil demais fazer isso e ficar num canto.
É teatral

Voltar em pleno dia
Ao mesmo local, à mesma cara, ao mesmo grito
Brutal e aflito:

"Milagre!".
Que me deixa mal.
Há um preço

For the eyeing of my scars, there is a charge
For the hearing of my heart —
It really goes.

And there is a charge, a very large charge
For a word or a touch
Or a bit of blood

Or a piece of my hair or my clothes.
So, so, Herr Doktor.
So, Herr Enemy.

I am your opus,
I am your valuable,
The pure gold baby

That melts to a shriek.
I turn and burn.
Do not think I underestimate your great concern.

Ash, ash —
You poke and stir.
Flesh, bone, there is nothing there —

A cake of soap,
A wedding ring,
A gold filling.

Herr God, Herr Lucifer
Beware
Beware.

Out of the ash
I rise with my red hair
And I eat men like air.

23-29 October 1962

Para olhar minhas cicatrizes, há um preço
Para ouvir meu coração —
Ele bate forte.

E há um preço, um preço muito alto
Para cada palavra ou um toque
Ou uma gota de sangue

Ou um trapo ou uma mecha de cabelo.
E então, Herr Doktor.
E então, Herr Inimigo.

Sou sua opus,
Seu tesouro,
Seu bebê de ouro puro

Que se derrete num grito.
Ardo e me viro.
Não pense que subestimei sua imensa consideração.

Cinzas, cinzas —
Você remexe e atiça.
Carne, ossos, não há nada ali —

Barra de sabão,
Anel de noivado,
Prótese de ouro.

Herr Deus, Herr Lúcifer,
Cuidado
Cuidado.

Renascida das cinzas
Subo com meus cabelos ruivos
E como homens como ar.

THE COURIERS

The word of a snail on the plate of a leaf?
It is not mine. Do not accept it.

Acetic acid in a sealed tin?
Do not accept it. It is not genuine.

A ring of gold with the sun in it?
Lies. Lies and a grief.

Frost on a leaf, the immaculate
Cauldron, talking and crackling

All to itself on the top of each
Of nine black Alps.

A disturbance in mirrors,
The sea shattering its gray one —

Love, love, my season.

4 November 1962

OS MENSAGEIROS

Palavra de lesma numa lâmina de grama?
Não é minha. Não aceite.

Ácido acético numa lata selada?
Não aceite. Não é genuíno.

Anel de ouro com reflexo de sol?
Loas. Loas e mágoa.

Geada na folha, o caldeirão
Imaculado, estalando e falando

Sozinho no alto de cada um
Dos nove Alpes negros.

Distúrbio nos espelhos,
O mar estilhaçando seu cinza —

Amor, amor, minha estação.

GULLIVER

Over your body the clouds go
High, high and icily
And a little flat, as if they

Floated on a glass that was invisible.
Unlike swans,
Having no reflections;

Unlike you,
With no strings attached.
All cool, all blue. Unlike you —

You, there on your back,
Eyes to the sky.
The spider-men have caught you,

Winding and twining their petty fetters,
Their bribes —
So many silks.

How they hate you.
They converse in the valley of your fingers, they are inchworms.
They would have you sleep in their cabinets,

This toe and that toe, a relic.
Step off!
Step off seven leagues, like those distances

That revolve in Crivelli, untouchable.
Let this eye be an eagle,
The shadow of this lip, an abyss.

GULLIVER

Sobre teu corpo as nuvens passam
Altas, altas e frias,
Um tanto finas, como se

Flutuassem num vidro invisível.
Não são cisnes,
Nem têm reflexos;

Não são como você,
Sem cordas que te lacem.
Tudo bem, tudo azul. Não como você —

Aí, deitado de costas,
Seus olhos no céu.
Os homens-aranhas te pegaram,

Lançando e trançando suas frágeis algemas.
Suas trapaças —
Tantas sedas.

Como te detestam.
Eles conversam no vale de teus dedos, são lagartas.
Eles te queriam dormindo em seus gabinetes,

Este dedo e aquele outro, uma relíquia.
Fuja!
Sete léguas, meça estas distâncias

Que vão dar num Crivelli, intocável.
Deixe que teu olho vire águia,
A sombra deste lábio, um abismo.

DEATH & CO.

Two, of course there are two.
It seems perfectly natural now —
The one who never looks up, whose eyes are lidded
And balled, like Blake's,
Who exhibits

The birthmarks that are his trademark —
The scald scar of water,
The nude
Verdigris of the condor.
I am red meat. His beak

Claps sidewise: I am not his yet.
He tells me how badly I photograph.
He tells me how sweet
The babies look in their hospital
Icebox, a simple

Frill at the neck,
Then the flutings of their Ioniam
Death-gowns,
Then two little feet.
He does not smile or smoke.

The other does that,
His hair long and plausive.
Bastard
Masturbating a glitter,
He wants to be loved.

MORTE & CIA.

Dois, com certeza são dois.
Me parece muito natural agora —
O que nunca olha pra cima, olhos selados
Em globos, como os de Blake,
Exibindo

A marca de nascença como marca registrada —
Queimadura d'água, a cicatriz,
A verde-gris
Nudez do condor. Sou carne crua.
Seu bico

Me retalha: ainda não sou sua.
Ele diz que fotografo muito mal.
Me diz como são doces
Os bebês na geladeira
Do hospital, só uns

Babados no pescoço,
Os detalhes de seus véus
Funerários
E dos pezinhos.
Ele não fuma nem sorri.

O outro sim,
Cabelos longos e atraentes,
Bastardo
Masturbando um brilho,
Só pensando em ser amado.

I do not stir.
The frost makes a flower,
The dew makes a star,
The dead bell,
The dead bell.

Somebody's done for.

14 November 1962

Nem me mexo.
Do frio se faz uma flor,
Do orvalho se faz uma estrela,
O toque de silêncio,
Silêncio.

Alguém sob medida.

1963

SHEEP IN FOG

The hills step off into whiteness.
People or stars
Regard me sadly, I disappoint them.

The train leaves a line of breath.
O slow
Horse the color of rust,

Hooves, dolorous bells —
All morning the
Morning has been blackening,

A flower left out.
My bones hold a stillness, the far
Fields melt my heart.

They threaten
To let me through to a heaven
Starless and fatherless, a dark water.

2 December 1962/28 January 1963

OVELHA NA NÉVOA

Colinas mergulham na brancura.
Estrelas ou pessoas
Me olham com tristeza, desapontadas comigo.

Um fio de hálito fica no caminho.
Ó, lento
Cavalo cor de ferrugem,

Cascos, sinos doendo —
A manhã toda
Manhã ainda escurecendo,

Essa flor ao relento.
Meus ossos sentem um sossego, os campos
Distantes dissolvem meu coração.

Eles ameaçam
Me abandonar por um céu
Sem estrelas e órfã, água escura.

THE MUNICH MANNEQUINS

Perfection is terrible, it cannot have children.
Cold as snow breath, it tamps the womb

Where the yew trees blow like hydras,
The tree of life and the tree of life

Unloosing their moons, month after month, to no purpose.
The blood flood is the flood of love,

The absolute sacrifice.
It means: no more idols but me,

Me and you.
So, in their sulfur loveliness, in their smiles

These mannequins lean tonight
In Munich, morgue between Paris and Rome,

Naked and bald in their furs,
Orange lollies on silver sticks,

Intolerable, without mind.
The snow drops its pieces of darkness,

Nobody's about. In the hotels
Hands will be opening doors and setting

Down shoes for a polish of carbon
Into which broad toes will go tomorrow.

O the domesticity of theses windows,
The baby lace, the green-leaved confectionery,

OS MANEQUINS DE MUNIQUE

Perfeição é terrível, ela não pode ter filhos.
Fria feito hálito de neve, sela seu ventre

Onde os teixos sopram como hidras,
A árvore da vida e a árvore da vida

Ovula suas luas, mês a mês, sem nenhum motivo.
A seiva do sangue é a seiva do amor,

O sacrifício absoluto.
Ou seja: não ídolos mas eu mesma,

Eu e você.
Então, em sua doçura sulfúrica, seus sorrisos

Esses manequins hoje dormem
Em Munique, um necrotério entre Roma e Paris,

Calvos e nus em seus casacos de pele,
Pirulitos de laranja em palitos prateados,

Insuportáveis, sem mente.
A neve goteja estilhaços de escuridão,

Ninguém por perto. Nos hotéis
Mãos vão abrir portas e tirar

Sapatos, para lustrá-los com carbono,
Pois neles dedos gordos partem amanhã.

Ah, essas janelas tão familiares,
O laço do bebê, confeitos verde-folha,

The thick Germans slumbering in their bottomless Stolz.
And the black phones on hooks

Glittering
Glittering and digesting

Voicelessness. The snow has no voice.

28 January 1963

Grossos alemães cochilam em seu insondável Stolz.
E nos ganchos, telefones negros

Brilham,
Brilham e digerem

Mas sem voz. A neve não tem voz.

CHILD

Your clear eye is the one absolutely beautiful thing.
I want to fill it with color and ducks,
The zoo of the new

Whose names you meditate —
April snowdrop, Indian pipe,
Little

Stalk without wrinkle,
Pool in which images
Should be grand and classical

Not this troublous
Wringing of hands, this dark
Ceiling without a star.

28 January 1963

CRIANÇA

O olho claro é a coisa mais bonita em você.
Quem dera enchê-lo de patos e cores,
Zoo do novo,

Nomes em que você pensa —
Campânula-de-abril, Cachimbo-de-índio,
Pequenino

Caule sem espinhos,
Lago em cujas margens, imagens
Pudessem ser clássicas e imensas

Não esse tenso
Torcer de mãos, esse teto
Escuro e sem estrela.

PARALYTIC

It happens. Will it go on? —
My mind a rock,
No fingers to grip, no tongue,
My god the iron lung

That loves me, pumps
My two
Dust bags in and out,
Will not

Let me relapse
While the day outside glides by like ticker tape.
The night brings violets,
Tapestries of eyes,

Lights,
The soft anonymous
Talkers: 'You all right?'
The starched, inaccessible breast.

Dead egg, I lie
Whole
On a whole world I cannot touch,
At the white, tight

Drum of my sleeping couch
Photographs visit me —
My wife, dead and flat, in 1920 furs
Mouth full of pearls,

Two girls
As flat as she, who whisper 'We're your daughters.'
The still waters
Wrap my lips,
Eyes, nose and ears,
A clear

PARALÍTICO

Acontece. Vai continuar? —
Minha mente, uma rocha,
Sem língua, sem dedos pra pegar,
Meu deus, esse pulmão de ferro

Que me adora, enchendo
Meus dois
Sacos de poeira, pra dentro pra fora
Estima

Melhoras, enquanto
O dia lá fora desliza feito fita de telex.
A noite vem com violetas,
Tapetes de olhos,

Luzes,
As doces vozes,
Anônimas: "Está melhor?".
O peito impecável, e inacessível.

Ovo choco, me deito
Todo
Sobre o mundo todo que não toco,
No tambor tenso e branco

De meu leito
Fotos me visitam —
Minha mulher, magra e morta, em roupas dos anos 20,
A boca de pérolas finas.

Duas meninas,
Magras como ela, sussurrando "Somos suas filhas".
As águas tranquilas
Embrulham meus lábios,
Olhos, orelhas, nariz,
Um gris

Cellophane I cannot crack.
On my bare back

I smile, a buddha, all
Wants, desire
Falling from me like rings
Hugging their lights.

The claw
Of the magnolia,
Drunk on its own scents,
Asks nothing of life.

29 January 1963

Celofane que não fendo.
Em minhas costas nuas

Sorrio, um buda, querendo
Tudo, desejos
Caem de mim como anéis
Abraçando suas luzes.

A garra
Da magnólia,
Bêbada de seu perfume,
Nada quer da vida.

KINDNESS

Kindness glides about my house.
Dame Kindness, she is so nice!
The blue and red jewels of her rings smoke
In the windows, the mirrors
Are filling with smiles.

What is so real as the cry of a child?
A rabbit's cry may be wilder
But it has no soul.
Sugar can cure everything, so Kindness says.
Sugar is a necessary fluid,

Its crystals a little poultice.
O kindness, kindness
Sweetly picking up pieces!
My Japanese silks, desperate butterflies,
May be pinned any minute, anesthetized.

And here you come, with a cup of tea
Wreathed in steam.
The blood jet is poetry,
There is no stopping it.
You hand me two children, two roses.

1st February 1963

BONDADE

A Bondade desliza pela casa.
Dona Bondade, ela é uma graça!
As gemas vermelhas e azuis de seus anéis embaçam
As vidraças, espelhos
Se enchem de sorrisos.

O que é mais real do que um grito de criança?
O de um coelho talvez seja mais selvagem,
Mas não tem alma.
Açúcar cura tudo, diz a Bondade.
Açúcar é um fluido necessário,

Seus cristais, uma pequena compressa.
Ah, bondade, bondade,
Juntando os pedaços com carinho!
Minhas sedas japonesas, desesperadas borboletas,
Podem ser pegas a qualquer minuto, anestesiadas.

Então você chega, com uma xícara de chá,
Imerso na fumaça.
O jato de sangue é poesia,
Não há nada que o detenha.
Você me passa as crianças, duas rosas.

WORDS

Axes
After whose stroke the wood rings,
And the echoes!
Echoes traveling
Off from the center like horses.

The sap
Wells like tears, like the
Water striving
To re-establish its mirror
Over the rock

Thats drops and turns,
A white skull,
Eaten by weedy greens.
Years later I
Encounter them on the road —

Words dry and riderless,
The indefatigable hoof-taps.
While
From the bottom of the pool, fixed stars
Govern a life.

1st February 1963

PALAVRAS

Machados
Que batem e retinem na madeira,
E os ecos!
Ecos escapam
Do centro como cavalos.

A seiva
Mina em lágrimas, como a
Água tentando
Repor seu espelho
Sobre a rocha

Que cai e racha,
Crânio branco,
Comido por ervas daninhas.
Anos depois eu
As encontro no caminho —

Palavras secas, sem destino,
Incansável som de cascos.
Enquanto
Do fundo do poço, estrelas fixas
Governam uma vida.

CONTUSION

Color floods to the spot, dull purple.
The rest of the body is all washed out,
The color of pearl.

In a pit of rock
The sea sucks obsessively,
One hollow the whole sea's pivot.

The size of a fly,
The doom mark
Crawls down the wall.

The heart shuts,
The sea slides back,
The mirrors are sheeted.

4 February 1963

CONTUSÃO

A mancha inunda o local, roxo imundo.
O resto do corpo a onda limpa,
Cor de pérola.

Na fissura da rocha
O mar suga obsessivamente
Essa fenda, eixo do mar inteiro.

Do tamanho de uma mosca,
A marca da desgraça
Se espalha pelo muro.

O coração se fecha,
O mar se afasta,
Pano nos espelhos.

BALLOONS

Since Christmas they have lived with us,
Guileless and clear,
Oval soul-animals,
Taking up half the space,
Moving and rubbing on the silk

Invisible air drifts,
Giving a shriek and pop
When attacked, then scooting to rest, barely trembling.
Yellow cathead, blue fish —
Such queer moons we live with

Instead of dead furniture!
Straw mats, white walls
And these traveling
Globes of thin air, red, green,
Delighting

The heart like wishes or free
Peacocks blessing
Old ground with a feather
Beaten in starry metals.
Your small

Brother is making
His balloon squeak like a cat.
Seeming to see
A funny pink world he might eat on the other side of it,
He bites,

Then sits
Back, fat jug
Contemplating a world clear as water.
A red
Shred in his little fist.

5 February 1963

BALÕES

Desde o Natal estão com a gente,
Claros e inocentes,
Bichos de alma oval,
Tomando metade do espaço,
Movendo e roçando sua seda

Invisível, o ar os leva,
Gritando e estourando
Quando feridos, murchando até o fim, em convulsão.
Cabeça de gato amarela, peixe azul —
Em vez de uma mobília velha

Com que luas estranhas convivemos:
Esteiras, paredes brancas,
E estes globos peregrinos
Cheios de ar leve, verde ou vinho,
Divertindo

O coração como desejos ou pavões
Livres, abençoando
O antigo chão com suas penas
Folheadas em metal.
Seu irmão caçula

Está fazendo
O balão miar feito um gatinho.
Parece ver
Do outro lado um mundo cor-de-rosa, comestível,
Ele morde,

E cai
Pra trás, jarra cheia,
Contemplando um mundo claro como água.
Um trapo vermelho
Sobra em seus dedinhos.

EDGE

The woman is perfected.
Her dead

Body wears the smile of accomplishment,
The illusion of a Greek necessity

Flows in the scrolls of her toga,
Her bare

Feet seem to be saying:
We have come so far, it is over.

Each dead child coiled, a white serpent,
One at each little

Pitcher of milk, now empty.
She has folded

Them back into her body as petals
Of a rose close when the garden

Stiffens and odors bleed
From the sweet, deep throats of the night flower.

The moon has nothing to be sad about,
Staring from her hood of bone.

She is used to this sort of thing.
Her blacks crackle and drag.

5 February 1963

AUGE

A mulher está perfeita.
Morto,

Seu corpo mostra um sorriso de satisfação,
A ilusão de uma necessidade grega

Flui pelas dobras de sua toga,
Nus, seus pés

Parecem nos dizer:
Fomos tão longe, é o fim.

Cada criança morta, uma serpente branca
Em volta de cada

Vasilha de leite, agora vazia.
Ela abraçou

Todas em seu seio como pétalas
De uma rosa que se fecha quando o jardim

Se espessa e odores sangram
Da garganta profunda e doce de uma flor noturna.

A lua não tem nada que estar triste,
Espiando tudo de seu capuz de osso.

Ela já está acostumada a isso.
Seu lado negro avança e draga.

NOTAS AOS POEMAS E À TRADUÇÃO

THE SLEEPERS/OS ADORMECIDOS

Poema de sua fase de transição, escrito na colônia de artistas em Yaddo, NY, provavelmente em outubro de 1959, o qual revela a influência de Walt Whitman.

STILLBORN/NATIMORTO

Poema em que Sylvia Plath tematiza o fazer poético. Aparecem os elementos Morte e Nascimento. Inspirado talvez pelo nascimento de sua filha. Tece uma comparação incomum entre poemas postos em conserva e fetos colocados *in vitro*. O poema é fruto de suas experiências quando trabalhou no Hospital Geral de Boston. A poeta ironiza seu próprio estilo purista e formal. Plath nesta época costumava escrever utilizando-se de um dicionário.

MORNING SONG/CANÇÃO DA MANHÃ

Poema que abre o livro *Ariel*. Escrito em homenagem ao nascimento da filha. A situação atordoante da chegada do bebê e da experiência de ser mãe são o seu tema. O tom sombrio culmina com a comparação dos primeiros balbucios da criança aos balões coloridos que sobem. Este poema marca o início de um estilo mais pessoal, cotidiano e coloquial.

THE RIVAL/RIVAL

Poema de grande ambiguidade, no qual Sylvia Plath emprega um tom explicitamente violento e cínico. Ela dirige seu ataque à mãe, ao marido e, simbolicamente, à lua. Começa a trabalhar com duplos sentidos e animismo, influenciada por Roethke, Lowell e Lawrence.

THE MOON AND THE YEW TREE/A LUA E O TEIXO

Um dos "exercícios" que foram propostos por Ted Hughes tendo como motivo a árvore que se avistava de sua janela. Esta árvore, o teixo, nascia no cemitério de uma igreja em Devon. Marca o distanciamento da jovem Sylvia e da Sylvia madura (que medita sobre seu abandono espiritual). Elementos são humanizados, os mitos cristãos são encarados com ironia (como em *"Fever 103°"*). Data da fase em que Plath quase não conseguia produzir.

MIRROR/ESPELHO

Imagem recorrente em sua poesia, na qual tematiza a procura da indentidade como mulher e poeta, revelando a tensão entre verdade e falsidade (como em *"The Couriers"*). Observe-se a divisão em duas estrofes, um espelhismo, que simboliza os nove meses de gestação (dois grupos de nove versos).

CROSSING THE WATER/TRAVESSIA

Plath desumaniza as pessoas. A escuridão remete ao Inferno. Fazendo a travessia do rio Letes, ela navega vendo os mortos, que são sombras. Há também a presença das sereias e um diálogo textual com Ezra Pound e seu "Canto 115". Este Inferno pantanoso é também o de Dante. Decidimo-nos por uma leitura "imagista", que preservasse a qualidade imagista do poema.

ELM/OLMO

Dedicado à amiga e psiquiatra Ruth Fainlight. Sylvia se transmuta em árvore e ironiza a relação analista/paciente. Aparecem imagens de cavalos, lua, bruxaria e mitologia (Medusa). Sua tonalidade é mais ágil e seca.

POPPIES IN JULY/PAPOULAS EM JULHO

Aqui Sylvia emprega o próprio corpo como objeto poético. Parece se referir, implicitamente, a um período de tensão pré-menstrual.

THE ARRIVAL OF THE BEE BOX/A CHEGADA DA CAIXA DE ABELHAS

Integra o ciclo de poemas sobre abelhas. Nítida referência ao pai e à sua experiência no cultivo de abelhas. Notar a sonoridade com que Plath teceu o poema. A tradução visou recuperar os sons sibilantes que simulam o zumbir de uma colmeia. Ressaltem-se a evocação à morte e uma certa influência da poesia de Emily Dickinson. A poeta se imagina como rainha das abelhas.

LESBOS/LESBOS

Poema em que Plath assume uma voz francamente agressiva e desbocada. Emprega a gíria e o palavrão numa dicção coloquial extrema. São explorados, de maneira autobiográfica, sua relação com a mãe, com o marido e os filhos e a descoberta do adultério; o impasse entre a vida doméstica e sua carreira profissional. A tradução norteou-se pelo emprego de uma linguagem mais ríspida, de gíria e clichês. O poema, apesar de longo, se mantém equilibrado até seu desfecho.

FEVER 103°/FEBRE, 40°

Poema de alta conotação erótica. Insere a temática da "doença". Em entrevista à BBC, Plath esclareceria: "É um poema sobre dois tipos de fogo: um que meramente agoniza e se extingue, isto é, o fogo do Inferno, e outro que purifica, ou seja, o fogo do Céu. Durante o poema, o primeiro fogo sofre e se transforma no segundo". Aparecem alusões à história contemporânea, ao acidente fatal de Isadora Duncan, ao filme *Hiroshima mon Amour*, de Resnais, à explosão da bomba de Hiroshima e à mitologia grega. Plath incorpora ao poema os ritmos da masturbação e imagina uma ascensão orgiástica ao Paraíso cristão, jogando com o antagonismo paganismo/cristandade, virtude/pecado, macho/fêmea. A febre aqui surge como purificação, meio de transcendência.

Entre os diálogos intertextuais encontrados no poema, cabe mencionar ainda o de Nietzsche, especificamente a menção velada que a poeta faz à "Canção Bêbada" de *Assim Falou Zaratustra*, evidentemente numa leitura particular e livre, atenta às necessidades do poema.

Note-se a referência à pureza; a dor dos primeiros pais (da qual Sylvia compartilha); a dor de Deus; o cão — metáfora do vento — que arfa incansavelmente; a lira considerada como "poetisa bêbada"; a frase: "Eu quero filhos, eu não me quero"; salientando-se também a presença dos símbolos "lua" e "morte", constantes do texto nietzschiano.

CUT/CORTE

Baseado num acidente doméstico verídico. Apresenta duas dificuldades de tradução: a ambiguidade da expressão *"turkey wattle carpet"*, com a alusão tanto a um carpete quanto a um papo recheado de um peru, já que o poema foi escrito no Dia de Ação de Graças.

ARIEL/ARIEL

Nome do cavalo em que Sylvia Plath costumava cavalgar em Devon. Referência ao personagem da peça *A Tempestade*, de Shakespeare. Nome criptogramático da cidade de Jerusalém, que significa, em hebraico, "Leão de Deus" ou, também, "Coração (Altar) de Deus". Vemos aqui um diálogo crítico com os famosos "Poemas de Ariel"; de T.S. Eliot.

Este poema é considerado o ponto culminante da obra plathiana, em termos de síntese, técnica e conteúdo. Ele narra o instante entre a madrugada e o nascer do sol, a passagem da escuridão para a claridade. Há uma grande rapidez imagética, na qual as imagens se derretem e se fundem umas às outras, em paroxismo. Inclui personagens da história da Inglaterra, como Lady Godiva, que desfilou nua sobre um cavalo. Saliente-se a conotação sexual: do órgão genital feminino e do masculino, da penetração e ejaculação, com uma perspectiva sombria ("Olhinegras/ Bagas cospem escuras/ Iscas..."). *Estase* é uma doença que acomete o cavalo, fazendo com que seu olho sangre.

A tradução manteve ao máximo a concisão e a dinâmica do original. Resgatou a sonoridade e o formalismo exigidos, justificando-se, por isso, o emprego da palavra "fornalha" em vez de "caldeirão" (*cauldron*).

LADY LAZARUS/LADY LAZARUS

Título irônico, pois alude à ressurreição de Lázaro por Jesus, que o fez se levantar e sair de seu sepulcro. Aqui, Plath descreve seu processo suicida, assumindo uma posição de *performer* ou *strip-teaser*, transformando o leitor num *voyeur*. Alude à sua suposta tentativa de suicídio, na qual teria atirado seu carro para fora da estrada. Em sua introdução ao poema, recitado na BBC, ela diz: "O narrador é uma mulher que possui o grande e terrível dom de renascer. O único problema é que ela tem de morrer primeiro. Ela é a Fênix, o Espírito Libertário, o que você quiser. Ela é também uma mulher bem-sucedida, boa e honesta".

Desde o início do poema há menção às atrocidades nazistas e ao holocausto dos judeus, com quem ela sempre se identificou. O poema contém rimas óbvias, como nos versos de salão, e entre outras coisas faz uso de repetições enfáticas e obsessivas, acentuando o caráter tragicômico, de *vaudeville*. A solução para a tradução do verso final tentou preservar o caráter ambíguo e erótico ("E como homens como ar").

THE COURIERS/OS MENSAGEIROS

A linguagem imita as adivinhas e as proposições enigmáticas. Num jogo inteligente, Sylvia Plath brinca com a descoberta da infidelidade de Ted Hughes, numa espécie de "O que é, o que é?". Os três primeiros dísticos remetem ao fracasso de seu casamento e à mentira dos relacionamentos. Os restantes enfatizam a sua crença na transcendentalidade da poesia.

Os Mensageiros entregam cartas ou declarações falsas, talvez as cartas de amor enviadas pelo marido. O final nos força a reconhecer um diálogo com o James Joyce de *Giacomo Joyce* (*"... Love me, love my umbrella."*).

GULLIVER/GULLIVER

Baseado no personagem do romance do irlandês Johnathan Swift. Evidentemente retrata o ex-marido, sob uma ótica irônica. O poema ainda ironiza as imagens do mundo selvagem, características da poesia de Hughes. Carlo Crivelli, pintor italiano (c. 1430-c. 1493), conhecido pela ornamentação do fundo de seus quadros.

DEATH & CO./MORTE & CIA.

Em nota à récita na BBC Sylvia informa: "Este poema é sobre a dupla natureza, esquizofrênica, da morte. A frieza marmórea da máscara mortuária de Blake, digamos, as mãos enluvadas com medo da viscosidade dos vermes, água e outros catabolistas. Imagino estes dois aspectos da morte como dois homens de negócio, que vêm nos buscar".

Ted Hughes conta que o poema foi baseado na visita de dois amigos executivos norte-americanos, que foram convidá-lo para residir no exterior e com os quais Plath estava brigada. A originalidade do poema está na visão da morte como dois personagens masculinos. Há ecos do *Fausto*, de Goethe.

SHEEP IN FOG/OVELHA NA NÉVOA

Referência à ovelha negra, à ovelha desgarrada da parábola do Evangelho e às ovelhas oferecidas em holocausto na tradição grega e judaica. Plath se compara a esse animal (animismo/desumanização).

Novamente reporta-se à perda do pai. A dificuldade maior na tradução deste poema se encontra no verso *"The train leaves a line of breath"*. A palavra *"train"* comporta tanto a acepção de "fileira de animais" — que deixam um rastro de hálito naquela atmosfera de inverno — como a de "locomotiva". A solução encontrada buscou preservar a riqueza de sonoridade e a concretude da imagem.

THE MUNICH MANNEQUINS/OS MANEQUINS DE MUNIQUE

Poema escrito por ocasião da visita de Plath à terra de seu pai. Fala da Segunda Guerra Mundial, da esterilidade e da alienação. Influência dos quadros de De Chirico e seus manequins surreais. *"Stoltz"*, em alemão, significa "orgulho". A lua aparece como reguladora das funções biológicas, no caso, a menstruação. Medita a respeito da maternidade e da indiferença das pessoas "de papel picado", ou simplesmente "manequins".

CHILD/CRIANÇA

Juntamente com os poemas "Balões", "Bondade", "Auge", este aqui integra o ciclo de poemas sobre filhos. Revela uma dicção mais suave e uma concisão ímpar.

April snowdrop é uma flor que, embora frágil, possui a capacidade de florescer mesmo sob a neve (em nossa versão, "campânula-de-abril").

PARALYTIC/PARALÍTICO

O hospital novamente surge como tema. Com um humor ácido, Plath observa um paciente paralítico e as pessoas que o visitam. Desloca-se do plano de observadora para o de observada.

O poema apresenta uma intrincada malha de sonoridade: uso de assonâncias, rimas internas, deslocadas e óbvias, reproduzidas na tradução. Assinala o perfeccionismo técnico da poeta e a fragmentação de estrofes, tão caros ao seu estilo. Evidencia o toque de resignação, algo oriental, que Plath retomará em seus últimos escritos.

KINDNESS/BONDADE

Inspirada numa novela radiofônica de autoria de Hughes (em que um namorado atropela um coelho, vende-o e, com o dinheiro manchado de sangue, compra rosas para a namorada). Sylvia Plath critica a polidez asfixiante e a gentileza britânicas dos "chás das cinco" e das trocas de receitas de "simpatias".

WORDS/PALAVRAS

É, em suma, a *Ars Poetica* de Sylvia Plath.

Nos versos iniciais, que dialogam com Ezra Pound ("A Pact"), este poema "metalinguístico" medita sobre a possibilidade do fazer poético e retoma a tradição da poesia norte-americana de Dickinson, Whitman, Thoreau e dos transcendentalistas.

Interpretamos que o ritmo insistente das machadadas do lenhador repercute pelo poema. As palavras sugerem a própria ação do lenhar, quase onomatopaicamente. Esse retinir incessante dos machados, que representa as rimas, sugere simbolicamente as pancadas no metal intratável da poesia.

Aqui se encontra presente a síntese dos elementos obsessivos da obra plathiana e que constituem a sua paisagem: cavalos, árvore, cortes, água, espelho, rocha e morte.

Na atmosfera *noir* deste poema, a linguagem enfrenta o problema de espelhar sempre o mesmo sentido, a verdade única e imutável (o que é sempre uma impossibilidade). Plath problematiza a perda do domínio sobre a palavra.

Na estrofe final. ela se apropria dos versos de Shakespeare em *King Lear*: *"The stars above us, govern our conditions"*.

Atentos às dificuldades encontradas neste poema — tão bem enfrentadas por Ana Cristina Cesar em seu *Escritos da Inglaterra* —, tentamos resguardar a tensão poética original, caso específico do verso: *"Over the rock/ That drops and turns,/ A white skull/ Eaten by weedy greens."*. Optamos pelo verbo "rachar", em vez de "rolar" (*turns*), a fim de enriquecer a palavra "rocha".

Se as palavras não podem significar mais nada, Sylvia sente seu cavalo *riderless* (sem rédeas), ou sua poesia *readerless* (sem leitor).

CONTUSION/CONTUSÃO

Um outro acidente doméstico, a pancada no joelho, serve como pivô de uma série de associações: uma cena marinha, uma visão em *slow-motion* do processo de inchaço. Há alusão à superstição. Utiliza-se da imagem descrita em *The Golden Bough*: o costume de se cobrir o espelho quando alguém falece, para impedi-lo de regressar ao mundo dos vivos.

BALOONS/BALÕES

Um dos últimos escritos de Sylvia, no qual descreve os balões que restaram do Natal de 1962, já à época residindo em Londres com os dois filhos, separada de Ted Hughes.

Optamos por conservar a suavidade e a singeleza originais, incluindo diminutivos e sons leves.

EDGE/AUGE

Segundo Hughes, o último poema escrito por Sylvia Plath. A questão é polêmica. É a declaração e a antevisão explícita da própria morte. Plath se reveste do ideal de auge da perfeição atingido na morte, como se completasse uma obra. Assim se justifica a nossa solução para o título, além da aproximação sonora.

Sua poesia chega a uma situação extrema: o fim da mulher é o fim da linguagem. Plath retoma o tema caro aos românticos ingleses, forçando um diálogo simultâneo com os poemas de morte de Emily Dickinson.

Imagens evocam Cleópatra morta com a picada da serpente em seus seios, que são associados a duas vasilhas de leite vazias.

O útero é representado por uma flor e, finalmente, alude-se à lua, que assiste à cena poética e se despede num eclipse.

FOTOS

Sylvia Plath (Harper & Row, Publishers, Inc.).

Sylvia Plath (© Rollie McKenna).

Sylvia escrevendo no quintal, Wellesley, 1954.

Sylvia e Ted em Eastham, Cape Cod, 1958.

Sylvia e Nick em Devon, dezembro de 1962.

Sylvia e Frieda em Devon, dezembro de 1962.

SOBRE SYLVIA PLATH

SYLVIA PLATH: DELÍRIO LAPIDADO

Rodrigo Garcia Lopes

A Ana Cristina Cesar, in memoriam

"A autobiografia de um poeta é sua poesia.
O resto não passa de nota de rodapé."
Ievguêni Ievtuchenko

Uma das imagens mais frequentes da mítica contemporânea é a do artista morto no auge de sua carreira e criatividade. A morte assumindo aí o emblema da perfeição, pacto sereno, experiência-limite. Esse culto do gênio trágico e suicida forma uma galeria bem conhecida na história da literatura deste século, expressa nas figuras de Cesare Pavese, Ernest Hemingway, Virginia Woolf, Maiakóvski, Anne Sexton, Hart Crane, Mishima. Ao valorizar os aspectos da personalidade desses escritores, muitas vezes a crítica eclipsou o valor de suas intervenções estéticas.

No caso de Sylvia Plath, depois de seu suicídio em Londres, em fevereiro de 1963, as circunstâncias que precederam sua morte foram exploradas e espetacularizadas ao máximo pela mídia e pela academia. O "cânon" plathiano fabricado desde então resultou incapaz de desvendar o interior de seu processo criativo. A publicação de seu romance autobiográfico *The Bell Jar* — um best-seller nos Estados Unidos com 80 mil exemplares vendidos em um ano — contribuiu ainda mais para consolidá-la como um mito literário, quase nos fazendo esquecer de que Sylvia Plath é uma poeta. Essa mitificação foi responsável pelas leituras estreitas e pela recepção equivocada que seu livro póstumo, *Ariel*, recebeu da crítica da época — o que se observa, por exemplo, no livro *The Art of Sylvia Plath*, editado por Charles Newman em 1970. O destaque é dado ao "problema" de Plath, e não a seus poemas. O *boom* de estudos críticos, seguido de meia dúzia de biografias em menos de três décadas, apenas aprofundou a distância entre a autora e seus leitores. Até recentemente, as críticas a respeito de Plath não buscavam entender com mais profundidade as características de seu discurso poético, de seu "artifício".

A crítica norte-americana Marjorie Perloff, numa perspectiva atual, faz uma leitura mais interessante da obra de Sylvia Plath. Ela diz que, embora com uma produção interrompida precocemente — e com uma poesia de imagens e ritmos que considera limitados e até clássicos — Plath conseguiu o principal e o mais difícil para qualquer poeta surgido no período imediatamente após Eliot, Stevens, Frost e Auden: como inovar dentro do convencional e transcender este "cânon" pesadíssimo. O dilema de Plath foi o de qualquer poeta: como conseguir, por meio da prática textual, uma voz inconfundível e inovadora.

CONFISSÃO/CONFICÇÃO

No caso de Sylvia Plath, o rótulo de "confessional" e "extremista" também obscureceu e limitou uma leitura aberta e objetiva de sua poesia. Ao mesmo tempo, forçou um vínculo entre ela e poetas de linhas significativamente opostas aos poemas de *Ariel*. Diminuiu-se sua poética ao enquadrá-la por completo em um "movimento" que nunca existiu. O crítico britânico A. Alvarez, em seu livro *The Savage God*, argumenta: "Os extremistas têm em comum não um estilo, mas uma fé no valor, até mesmo na necessidade do risco". Na leitura de Alvarez, poetas como Robert Lowell, Anne Sexton, John Berryman, Theodore Roethke e Sylvia Plath estavam levando suas experiências poéticas a uma situação-limite, guiados por um mesmo projeto poético. Os poemas desses escritores específicos eram escritos numa linguagem violenta e sempre na primeira pessoa. Poemas viravam um ritual de exorcismo, numa autoterapia desgovernada que fatalmente só poderia conduzir à destruição. Alvarez, porém, se esqueceu de que, em Plath, "confessional" não implica necessariamente uma "poética de confessionário", de choro ou desabafo. Ao contrário, ela soube evitar essa facilidade e transformar suas experiências num desafio à própria habilidade poética. Em seus depoimentos, Sylvia Plath sempre enfatizou a importância do controle e da manipulação, a nível poético, de experiências — mesmo as mais "extremas" — com uma mente informada e inteligente. A poeta considerava a experiência pessoal importante, mas desde que ela não se transformasse numa *ego trip*, numa experiência puramente narcísica e fechada. Ressaltava que o uso de material autobiográfico deveria ser "relevante" para coisas maiores e mais amplas. Afinal, ela sabia que nem todo colapso nervoso ou registro instantâneo de um delírio pode resultar num bom poema:

> "Poesia é uma disciplina tirânica. Você tem de ir tão longe, tão rápido, em tão pouco tempo, que nem sempre é possível dar conta

do periférico. Num romance talvez eu possa conseguir mais da vida, mas num poema eu consigo uma vida mais intensa". (Sylvia Plath em entrevista à BBC, em outubro de 1962.)

Essa tentativa de formar uma escola "extremista" ou "confessional", como sugeriu Alvarez, achatou historicamente um período, homogeneizando dicções tão diferentes e ricas. Alvarez se esqueceu de que essa teatralização do "eu", se não consegue controlar os sentidos e as sensações geradas pelas palavras em uso, fica com sua validade ameaçada poeticamente. Se o poeta não consegue controlar as experiências por intermédio de associações verbais que as canalizem para uma atitude estrutural, então sua validade é a mesma que a da confissão de uma notícia: tem superfície pública e mais nada. Sylvia Plath, novamente: "Não creio que uma poesia de notícias possa interessar o leitor mais profundamente do que as notícias em si". Confissão se tornava conficção, via artifício. Alvarez preferiu, ao nosso ver, justificar a obra de Plath apenas pelo seu extremismo, ao sensacionalizar de um modo maniqueísta um suicídio cujas causas são insondáveis. Se adotássemos o ponto de vista do crítico britânico, chegaríamos ao contra-senso de dizer que, só porque um poeta tem uma vida trágica e suicida, sua obra deve ser necessariamente excepcional e vice-versa. Influenciado sobretudo pelo existencialismo de Sartre e de Camus, Alvarez exagerou o aspecto do suicídio como fundamental para a compreensão de sua escrita.

Sylvia Plath não se limita a usar em sua poesia material autobiográfico em estado bruto. Seus poemas são um delírio lapidado por um método. Restringir a leitura de seus poemas ao que a vida da poeta teve de trágico e curioso é desprezar seu método de escrita que tinha, como um de seus paradigmas, o controle absoluto sobre a linguagem. O tom pessoal e coloquial, mesmo quando perverso e violento, nunca é usado gratuitamente, mas enquanto uma das peças fundamentais na construção de sua linguagem. O material autobiográfico, ou mesmo as referências históricas, são sempre represados e filtrados pelo equilíbrio e artesanato furioso com que Plath manipula sua emoção. São usados na medida em que se encaixam em seu repertório poético. Ler seus poemas como sugeriu Alvarez é cair no dogma de que poesia, necessariamente, só tem importância quando vira um tipo de "comentário sobre a vida", minimizando seu potencial subversivo e estético. Nem tudo o que é importante sobre um poema é o que ele nos revela do mundo exterior. O sentido do poema está dentro do mundo, em toda a parte, assim como a linguagem.

Se limitarmos a interpretação de Sylvia Plath como uma poeta confessional, teríamos então de admitir a "inconveniente" presença de um Allen Ginsberg neste clube e negar os pontos de contato, num nível temático e textual, que ela possa ter com poetas de tendências "não-confessionais" ou bem distintas no plano estilístico, como Frank O'Hara, Robert Duncan, Gary Snyder e Denise Levertov, os quais, embora trabalhando com o pessoal em seus poemas, adotam execuções bem diferentes entre si. Para esses poetas, poderíamos adotar o que diz Paulo Leminski em seus *Anseios Crípticos*: "a sinceridade é só uma jogada de estilo", um recurso que possibilita ao poeta partir do confessional para desaguar no conficcional. Sylvia Plath, enfim, ao se recusar a ver a poesia como um mero desabafo ou um "grito do coração", transcende a confissão. Há, ao longo de toda a sua poesia, a manipulação minuciosa e rigorosa de eventos verídicos de modo que eles se encaixem, no dizer de Judith Kroll, em sua "mitologia pessoal"; na medida em que contribuam para a formação de um repertório, represa, onde a poeta possa encontrar a ilusão de uma presença, de uma "necessidade grega".

IMAGISMO PLATHOLÓGICO

Se pudéssemos definir a poesia de Plath, um termo possível seria o de "imagismo plathológico". A própria autora lembrou seu débito ao imagismo de Pound e de sua recuperação da poesia oriental para a poesia deste século no ensaio *"A Comparison"*, do livro *Johnny Panic and the Bible of Dreams*:

> "Não estou falando sobre poemas épicos. Estou falando sobre o poema curto, não oficial. Como descrevê-lo? Uma porta se abre, uma porta se fecha. Entre os dois momentos você tem um golpe de olhar: um jardim, uma pessoa, uma tempestade, uma libélula, um coração, uma cidade (...). O poeta se torna um especialista em fazer as malas.
>
> *'The apparition of these faces in the crowd;*
> *Petals on a wet black bough.'* (Ezra Pound).
>
> Aí está: o começo e o fim num único fôlego".

Plath retoma a descrição imagista dos objetos desenvolvidos por Pound e "objetivizados" por Williams: de que o objeto natural é sempre o símbolo mais adequado e de que a imagem é um complexo de relações emotivas lançadas na imaginação visual. Plath percebia na imagem uma possibilidade expressiva importante, pois pode ser conseguida nas entrelinhas, na brecha perceptiva que provoca no leitor, algo como um salto, uma iluminação.

Além do interesse de Sylvia Plath pelo imagismo, veio o objetivismo de Williams (conceito de "ideias — só nas coisas") e o conceito de "Coisas" que ela vai buscar na poesia de Rilke, o humano pensado em termos não-humanos. A qualidade imagista de Plath vai derivar também de sua curiosidade pelo Zen, ao mesmo tempo que se aproxima do animismo poético de Roethke e de D. H. Lawrence, pois procura, em seus poemas, as qualidades que divide com o mundo vegetal e animal. Esse animismo, em Sylvia Plath, se resolverá no conjunto dessas referências pessoais, principalmente nos poemas desta antologia, "Olmo" ou em "Espelho", em que ela se apropria de seus objetos, como cobaias, para que possa falar de um modo irônico da relação e da confissão psicanalíticas.

O uso desses recursos permite que a poeta fale sempre de uma forma alusória, ilusiva. Nesse imagismo interior ou subjetivo, ela desumaniza cada vez mais o humano e humaniza o inanimado, como em "Ovelha na Névoa", "Manequins de Munique" e "Olmo". A descrição, nestes poemas, se funde a ponto de não sabermos, ao longo deste último, se quem fala é a árvore, Plath ou uma paciente no divã:

> "Sei o que há no fundo, ela diz. Conheço com minha
> [própria raiz.
> Era o que você temia.
> Eu não: já estive lá".

Seu olho, assim, funciona como uma lente de aumento ou um espelho deformante: objetos, animais e eventos são exagerados e descritos apenas na medida em que ajudam a iluminar e a descrever a condição emocional durante a cena do poema. Na fúria criativa dos poemas finais, as imagens recorrentes de sua poesia vão se rarefazendo, a ponto de a poeta ir cada vez mais deixando de designar os objetos, tornando seus poemas mais ambíguos e subjetivos. Essa característica chegará ao extremo em "Ariel", em que o tempo todo descreve um cavalo, sem mencioná-lo. Em "Palavras", Sylvia Plath as torna quase inaudíveis, "sem sentido", como o som dos cascos do espírito do ar, Ariel, à solta, sem destino, apenas "ecoando, ecoando".

Sylvia Plath consegue a perícia no uso da ambiguidade, multiplicando os sentidos de uma mesma palavra, como "moon", "mirror", "pool"; elas são usadas em tantos sentidos possíveis, desde a *juvenília*, que nos poemas finais parecem adquirir um sentido arquetípico. Em Plath, imagens se tornam "iscas" para se compreender sua dinâmica poética. Um mesmo significante se abre a várias leituras, fazendo mais difícil sua "tradução".

O poema "Corte" exemplifica bem esta situação: ao mesmo tempo em que Plath descreve a si mesma, também descreve o mundo "lá fora". Ela se desumaniza para que o dedo cortado possa "falar" através de suas máscaras.

Suas imagens estão na verdade apenas dirigindo as transfigurações de sua *persona* nos poemas para o interior e para a paisagem "física" ou "dinâmica" montada por ela. O corte serve de motivo poético para uma viagem alucinada, numa sequência rapidíssima de imagens que parecem não conseguir reter um mesmo sentido por muito tempo: há uma certa urgência expressiva, explorando essa pressa através do uso máximo da fusão metafórica. Porém, o sujeito da escrita só consegue fixar suas imagens virtuais e fugazes. Há um ponto em seus poemas em que fica difícil saber se Sylvia Plath está falando de si mesma ou de outra pessoa: seu sujeito se funde e se finge nas imagens e observações do mundo exterior. Essa técnica provocará o inverso: o corte no dedo vai permitir que ela fale de coisas mais "relevantes", globais.

A presença do próprio corpo nos poemas, que ocupa um lugar de destaque na composição de seu discurso, reforça a qualidade subjetiva de seu imagismo. No poema "Contusão" ela descreve o próprio corpo como uma paisagem física: o hematoma no joelho vira o vórtex de energia do poema, pois ali se concentra, em espiral, o próprio processo poético de absorção, de cicatrização. Ele é comparado a uma rocha que o mar suga obsessivamente, e como um espelho que se afasta ou se cobre, aludindo novamente às bandagens do curativo, num processo cíclico.

Essa incorporação/absorção do mundo exterior para descrever estados interiores é uma das características mais presentes em sua poética, sobretudo nos poemas de 1962 e 1963. Em "Espelho", o narrador do poema é o próprio espelho:

> "Sou prateado e exato. Não tenho preconceitos.
> Tudo o que vejo engulo no mesmo momento
> Do jeito que é, sem manchas de amor ou desprezo.
> Não sou cruel, apenas verdadeiro —
> O olho de um pequeno deus, com quatro cantos".

POEMA-PERFORMANCE

Em Sylvia Plath a ênfase no dinamismo textual se dá no oral, na importância da vocalização dos poemas. Os poemas de 1962 e de 1963, como ela disse, eram para ser lidos em voz alta, para serem interpretados durante a leitura. Por isso pode-se falar de poesia, em alguns poemas específicos, como uma performance. "A lucidez que possa emanar deles vem do fato de eu ter de lê-los para mim mesma, em voz alta." Esta presença do oral vai se diferenciar sensivelmente dos poemas de *The Colossus*. Vai indicar a tensão da escrita e de sua ocorrência, pois é o registro de alterações físicas e emocionais, mas controladas pelos ritmos de sua respiração. A poeta vira a *performer* do texto, numa improvisação pessoal controlada, que sempre apresenta uma pose. O artifício poético faz uso de inflexões coloquiais, nuanças de expressão, num dinamismo quase teatral, pois exige a presença da *persona*.

Sylvia Plath improvisa e medita sobre sua relação com os animais e a natureza e, no fim desse processo, parece atingir uma revelação. Este recurso é usado mais claramente em "Lady Lazarus". Neste poema assistimos à construção da *persona* em ação: ela metaforiza a relação plateia e *performer* e passa por um ciclo de mortes e ressurreições, tendo que interpretar o mesmo *strip tease* todas as noites. Plath ironiza no poema as suas performances suicidas. Transforma em espetáculos suas tentativas de suicídio num ritual monótono e sem sentido, para afinal ressurgir das cinzas, como Fênix, e se vingar, poeticamente, sobre a "claque" que a assiste.

Plath arrisca tudo neste poema, sendo a prova da eficácia das possibilidades coloquiais e orais que estava perseguindo. Ela dramatiza e se personifica em prisioneira judia, Lázaro, uma suicida, uma *strip-teaser*, Elektra e, finalmente, em fêmea fatal. O desnudamento de Lady Lazarus, após sua ressurreição milagrosa, tem a função de persuadir o leitor a penetrar em seu universo barra-pesada e violento. Sua intimidade é apresentada de modo dramático, como uma conficção. Há um jogo em cena: neste circo, o leitor se torna a plateia anônima que se diverte, sádica, com a tortura da narradora e de sua tragédia (não seria a antevisão de Sylvia Plath às leituras mitificantes de sua obra e de seu suicídio?). Plath perverte esta relação leitor/autor, *stripper/voyeur*, ironizando sua dor. Lança adivinhas aparentemente *nonsense* enquanto celebra a própria morte — uma performance que Plath repete a cada poema, ou a cada dez anos. Esta atração fatal é sempre revestida, porém, com uma ironia *noir* implícita no tom, ou em sua repetição por meio do uso de *nursery rhymes*.

A performance textual de Sylvia Plath vai significar, portanto, a da própria morte, apenas com máscaras diferentes. O poema é apenas o espaço possível em que ela pode transcender sua linguagem e a si, ao mesmo tempo que dá ao leitor a garantia ou a promessa de uma existência definitiva, pois tem o dom de nascer e morrer em cada poema. Esse jogo "estúpido" e tedioso de nascer e morrer parece culminar com o clima absurdo de sua condição. Plath, até o poema "Palavras", ainda indicava uma aposta, via poesia, nas possibilidades "imortais", de transcendência poética, uma salvação. A morte ainda não parecia uma questão selada, irrespondível.

O palco, nos poemas de 1963, parece se deslocar de um teatro para uma sala funerária, onde se pode perceber os elementos-síntese de sua poesia. Em "Auge", escrito cinco dias antes de seu suicídio, antecipa sua última performance. Sua dor é apresentada de modo nobre, clássico mas resignado. Plath orgulha-se de selar sua obra e vida com um suicídio, como uma obra de arte bem-acabada, poema. A lua assiste a tudo e ilumina o corpo da poeta, morta à maneira egípcia — numa alusão a Cleópatra ou ao suicídio de Lady MacBeth — tendo em volta dos seios duas serpentes que simbolizam as crianças mortas. O símbolo principal da poesia de Plath olha o desfecho de um modo ausente, distanciado e impassível diante da tragédia. Os rigores do corpo e os ciclos menstruais, controlados pela lua, são comparados a um jardim em que a grama cresceu e onde uma dama-da-noite, a "flor noturna" do poema, exala um perfume asfixiante. Os últimos versos de "Auge" se fecham com uma aula de imagismo subjetivo e exibem seu poder de surpresa:

"The moon has nothing to be sad about.
Staring from her hood of bone.
She is used to this sort of thing.
Her blacks crackle and drag".[1]

O poema se fecha de modo enigmático: o lado negro da lua minguante é o capuz de uma bruxa velha, cujo rosto marcado por rugas, crateras e manchas é, no último verso, coberto pela sombra da Terra. O arquétipo lunar, síntese de sua poesia, ao mesmo tempo em que ilumina a face da autora, morta, a faz desaparecer e apagar a cena toda como num eclipse, em *slow-motion*, até a escuridão, ao total anulamento. De certa forma, é um eclipse textual.

[1] A lua não tem nada que estar triste/ Espiando tudo de seu capuz de osso./ Ela está acostumada a isso./ Seu lado negro avança e draga.

Ao perseguir uma "voz", ao tentar marcar em sua linguagem uma presença que lhe desse "um nome, um sentido", Plath acabou tomando a via negativa: seus poemas finais narram, em sua técnica e seus temas, o próprio processo de nascer e morrer desta escrita, pois têm a capacidade de provar e simular, via linguagem, sua própria extinção.

O registro de um processo que celebra, num tom resignado, sua própria desaparição, nos lembra que cada poema é o último: o registro de uma passagem rápida. A intensidade desta mini-estética do desaparecimento nos indica que o impasse revelado em "Palavras" se resolve no abismo niilista de "Auge": ao mesmo tempo que são *riderless* — sem cavaleiro, sem rédeas, à solta, sem autor — são também *readerless* — sem leitor.

SHEEP IN FOG, *uma leitura*

Rodrigo Garcia Lopes

Fila de hálito branco
descendo a colina
— Mergulhada na neblina, bota branca
pisando mansa & macia dentro da alma das árvores.
Mundos obscuros, mudos —
"The train leaves a line of breath"
Um fio de hálito fica no caminho —
Não é um trem, dessa vez,
não é esta a tradução
e sim ovelhas simples
descendo
(em silêncio)
pela colina.
Uma dezena de pequenas almas ambulantes,
peregrinas,
(vistas por alguém que não diz nada).
Uma fita fina e fria, de neblina
retida na retina
e nítida ainda —
Que se solta das mínimas narinas das ovelhas
e se dissolve na gelada
Manhã.

BIBLIOGRAFIA

The Art of Sylvia Plalh. Editado por Charles Newman, Indiana University Press, 1970.

PERLOFF, Marjorie. *The Dance of the Intelect — Studies in The Poetry of the Pound Tradition.* Cambridge University Press, 1982.

ALVAREZ, A. *The Savage God — A Study of Suicide.* Penguin Books, 1971.

PLATH, Sylvia. *Johnny Panic and the Bible of Dreams.* Faber & Faber Limited, 1977.

KROLL, Judith. *Chapters in a Mithology — The poetry of Sylia Plath.* Harper & Row, 1978.

SYLVIA PLATH: TÉCNICA & MÁSCARA DE TRAGÉDIA

Maurício Arruda Mendonça

Para Benício Dini de Mendonça

A história da literatura não deveria ser a história dos autores e dos acidentes de sua carreira ou da carreira de suas obras, mas a História do Espírito como produtor ou consumidor de literatura. Essa história poderia ser levada até o fim sem mencionar um só escritor. (Valéry via Borges.)

Este pequeno trabalho visa meditar sobre alguns aspectos que, eventualmente, escapam à atenção do leitor no que se refere à obra poética de Sylvia Plath.

Com a larga repercussão do livro *Ariel*, publicado nos anos de 1965 e 1966, em Londres e em Nova York, respectivamente, a arte de Sylvia foi envolvida numa aura de mitificação, tanto pela imprensa quanto pela crítica. Essa mitificação foi desencadeada por alguns nomes de peso como Robert Lowell, Ted Hughes (ex-marido de Sylvia e também poeta), George Steiner e o crítico e biógrafo A. Alvarez.

Não podemos nos olvidar de que, na década de 60, a psicanálise já gozava de seu prestígio de exegese literária e, por outro lado, as experiências de "desregramento dos sentidos", "arte e loucura", eram muito caras ao espírito da época. Somava-se a isso uma leitura moralizante que agravava a equação: mãe, mulher traída, loucura e suicídio, tendo como amálgama a poesia. Tais entrelaçamentos são responsáveis por um certo fascínio simplista que Sylvia Plath exerceu e exerce, mesmo entre nós.

Em seu elucidativo ensaio *The Two Ariels: The (Re) Making of the Sylvia Plath Canon*, a professora norte-americana Marjorie Perloff denuncia a manipulação empreendida pelo poeta Ted Hughes na seleção dos poemas que integrariam o livro *Ariel*. Ela confronta a seleção idealizada por Plath com a de Hughes. A narrativa através dos poemas daria conta de ideias díspares: a de Hughes reforçaria uma

Sylvia suicida, heroína trágica que supera o choque de sua separação; a de Sylvia enfatizaria:

> "Não a morte, mas disputa e vingança, o ultraje que se segue ao reconhecimento de que o ser amado é também o traidor..." (M. Perloff, *op. cit.*)

Para a confirmação de sua tese, Marjorie Perloff menciona o poema que encerraria o *Ariel* de Plath, mais precisamente os últimos versos do poema *Wintering*, que carregariam uma alusão de esperança:

> *"What they taste of, the Christmas roses?*
> *The bee are flying. They taste the spring".*
>
> ("Que provarão das rosas de Natal?
> Abelhas voam. Provam a primavera.")

ao contrário do *Ariel* de Hughes, cuja sequência culmina com os poemas *"Edge"* e *"Words"* (aqui nesta antologia "Auge" e "Palavras"), flagrantemente relacionados à morte e ao desespero.

Ted Hughes se redimiria parcialmente ao publicar em 1981, quase vinte anos depois da morte de Sylvia Plath, o volume com as obras poéticas completas, *The Collected Poems* — vencedor do Prêmio Pulitzer de 1982 —, em que se pôde aferir amplamente o calibre poético plathiano. Porém a fama de Sylvia Plath como "poeta extremista" já havia se consolidado e a visão analítica de vários estudiosos ainda se achava vacilante. Fato compreensível, uma vez que a poesia de Sylvia comportava duplo enfoque: à primeira vista, continha um caráter tipificado cientificamente como esquizofrênico, o que talvez permitisse (corretamente ou não) uma leitura psicanalítica; por outro lado, emergiam fatores muito importantes, tais como sua refinada ironia, a aguda inteligência e crítica estética — pormenores estes encontrados em toda grande poesia, seja feita por "esquizofrênicos" ou não.

A discussão urgia ser estendida e arejada, requisitando novas incursões e novos posicionamentos sobre a obra. A poesia de Sylvia Plath não poderia ser rotulada *apenas* como uma "reação contra uma condição opressiva de mulher, louca e poeta".

Existia inequivocamente uma outra Sylvia Plath, dona de uma poesia-ação, uma artesã, que dominava sua expressão poética, capaz de uma convincente realização técnica — elementos sem os quais sua obra não despertaria o respeito que, de fato, desperta.

É nesse sentido que pretendemos dar nossa contribuição para uma leitura mais acurada, dos — hoje — clássicos poemas de Sylvia Plath, focalizando sua construção, tentando demonstrar por que eles constituem exemplos de excelente poesia.

Dessa forma, é oportuno deixar falar a própria produtora desses versos tão perturbadores:

> "Penso que a minha poesia seja fruto direto da experiência de meus sentidos e da minha emoção, mas devo dizer que não posso ter simpatia por aquele 'grito do coração' (...). Creio que se deva saber controlar, manipular as experiências, até as mais terríveis, como a loucura, a tortura (...). E se deva saber manipular com uma mente lúcida que lhe dê forma (...)."

De acordo com essas afirmações, conclui-se como o registro das emoções e dos temas se operava poeticamente para ela: Sylvia evitava o jorro desordenado das emoções que pudessem conduzir ao dramalhão, exigia de si um controle quase policial da escritura, dando-lhe forma. Logo, deve ser afastada a hipótese de que seus poemas carregassem "a loucura dentro" (loucura como sinônimo de desordem criativa), como precipitadamente declarou o crítico Irving Feldman, já em 1966, sem se ater ao *craft* plathiano.

Então, de que maneira Plath exercia o controle sobre suas experiências e como lhes dava forma? A esta pergunta acrescente-se o dado fundamental de que a poeta durante toda a sua vida buscou uma pessoalidade, uma "voz própria" que a individuasse necessariamente.

O ensaísta John Frederick Nims, em seu trabalho *The Poetry of Sylvia Plath*, analisava com grande precisão: "Cada página de Plath demonstra a sua constante preocupação com o valor musical da palavra".

Sem dúvida o caminho trilhado por Plath em busca de seu artesanato poético foi árduo. Seu único volume de poemas publicado em vida, *The Colossus and Other Poems*, já prefigurava a artista experimentadora, concentrada no aprendizado que representava aquele grupo de poemas.

No volume mencionado, que veio à lume em 1960, Plath tentou exaustivamente novos ritmos, novas combinações de rimas, e arriscou metáforas. Porém ainda sob a influência de poetas de sua eleição: Theodore Roethke, Ted Hughes, Dylan Thomas, Robert Lowell,

Wallace Stevens, Emily Dickinson, Elizabeth Bishop, Anne Sexton, entre outros.

The Colossus and Other Poems é o livro da Plath aprendiz, que ainda não atingira sua meta, mas que se preparava conscientemente para a síntese madura do futuro *Ariel.*

Seus influenciadores corroboravam seu ideal de "voz", de pessoalidade e individualidade, do "eu" poético. Eis por que Plath, de certa forma, excluiu a influência direta dos dois gigantes da literatura de língua inglesa, T. S. Eliot e Ezra Pound, de veia mais cosmopolita e épica. Com certeza Sylvia divergia das colocações de Eliot, tais como: "A evolução do artista é um contínuo auto-sacrifício, uma contínua extinção da personalidade...". Ela própria revelava seu culto àquela poesia, depois chamada forçadamente de "confessional", frisando em seu curto ensaio *Context*, de 1962: "Os poetas que aprecio são possuídos por seus poemas do mesmo modo que pelo ritmo de sua própria respiração".

Com a publicação do excepcional *Ariel* pôde-se verificar a evolução qualitativa de seus versos, inaugurando-se já àquela época o paradoxo: Sylvia Plath recuara na experimentação técnica. O estilo de *Ariel*, em sua generalidade, soava mais tradicional, contido. Em vez de partir para uma radicalização formal, ela se apegava às conquistas de uma Emily Dickinson, fazendo uso da métrica convencional, de rimas e de imagens, sem contudo deixar (e aí reside o seu gênio) de alterar estes elementos com sua visão finalmente pessoalíssima.

Num contexto em que a ruptura do discurso poético e a invenção eram superestimadas — recordemos o célebre lema de Ezra Pound, *"Make it New"* (Faça-o Novo) —, Sylvia veio provar que era possível escrever boa poesia com uma técnica já existente.

Se todo artista da palavra lidava a princípio com a impossibilidade de escrever, tolhido pela gama de inovações conquistadas pelo mundo da literatura moderna, Plath demonstrou, com brilhantismo, que era preciso que essas conquistas, mesmo as mais antigas, funcionassem. Com bastante correção, o professor John Frederick Nims sugeriu: o lema de Sylvia talvez fosse *Make it Do* (Faça-o Funcionar). Logo, o abismo da impossibilidade de criação desaparecia. O mesmo ensaísta arremata:

> "Diremos que Sylvia Plath é um tanto conservadora?
> Em *Ariel*, do ponto de vista técnico, não poderia ser mais
> conservadora. E esta é uma das razões pelas quais o livro
> nos parece tão original".

Ou ainda:

> "Em *Ariel*, quanto mais um poema é brilhante, tanto mais seu ritmo é tradicional".

Esta volta aos padrões convencionais, erroneamente concebidos como ultrapassados, se materializa, por exemplo, na escolha plathiana do metro pentametro iâmbico: que possui, quiçá, um fundamento fisiológico, correspondendo a cinco pulsações por respiração, ou seja, segue as batidas cardíacas, ocorrendo, portanto, em todas as línguas existentes. Este metro tradicional é utilizado desde Chaucer até nossos dias e em *Ariel* predomina na arquitetura dos poemas.

A rima retorna em *Ariel* e, na análise dos poemas, chega-se a ter a sensação de que Sylvia possuía uma verdadeira obsessão por ela. Porém aqui reside uma das características mais interessantes do artesanato da poeta: Sylvia Plath tece um espectro de rimas, o que os ensaístas denominam de "rima-fantasma". Exemplo desta técnica aparece no poema *Lady Lázarus*, em que ocorre o deslocamento das rimas de suas posições normais na terzina (estrofe com três versos). Nesse poema os primeiros versos terminam com /n/ e há um "fantasma" de sons, em inglês, /i/ e /a/. Vejamos:

> I *have done it agai*n
> *One year in every te*n
> *I manage it —*
>
> *A sort of walk*ing *miracle, my sk*in
> *Bright as a Nazi lampshade,*
> *My right foot*
> *A paperweight*
> *My face a featureless, fine...*

A questão da rima em Plath nos conduz de imediato ao problema da sonoridade e da "cantabilidade", já que seus poemas, como ela própria admitia, não eram feitos para ser lidos em silêncio mas para ser falados. Neste detalhe sua obra nos oferece exemplos contundentes de mestria, de singular ouvido para a música do verso:

> It *happens. Will* it go on? —
> *My* min*d a r*ock,

No fingers to grip, no tongue,
My god the iron lung

That loves me, pumps
My two
Dust bags in and out,
Will not

Let me relapse
While the day outside glides by like ticker tape.
The night brings violets.
Tapestries of eyes,

Lights

(*Paralytic*)

O aparato "sinfônico" completo: aliterações, assonâncias, rimas convencionais e, curiosamente — o que é uma constante em seus poemas —, a insistência no som /i/, que nos remete ao pronome "I", ou seja, pelo texto corre subliminarmente a auto-afirmação do "eu" plathiano.

Evidentemente só um artista de vigor conseguiria trabalhar, à exaustão, para que em seu texto se espelhassem as sutilezas emocionais que moldam a palavra.

O domínio consciente da palavra na obra de Sylvia Plath é fato indiscutível, como o é o seu domínio sobre as figuras de linguagem, mormente a metáfora. Com relação a esta, Plath poderia ser comparada, sem exageros, à Safo. Cabe salientar a precisão com que a norte-americana dirigia seu olhar, concebendo comparações das mais bem realizadas, reunindo elementos do cotidiano — razão pela qual sua poesia tem rápida resposta da parte dos leitores.

Lembremo-nos de metáforas que hoje se elencam no repertório poético anglo-americano:

"The pears fatten like little Buddhas"
(As peras incham feito mini-Budas)

"Stars stuck all over, bright stupid confetti"
(Estrelas grudadas lá em cima, estúpidos confetes brilhantes)

"...the yew trees blow like hydras"
(...os teixos sopram como hidras)

"...I am a lantern —
My head a moon
Of japanese paper..."

(...sou uma lanterna —
Minha cabeça uma lua
De papel japonês...)

Tal uso da metáfora, como veremos, será uma das mais felizes contribuições de seu *corpus* poético para a poesia.

No desenvolvimento de suas concepções sobre a metáfora, Sylvia revelará uma importante inovação técnica: um *cluster* de metáforas, superposição de imagens aparentemente desconexas que se fundem e refundem.

Esta técnica, denominada nos meios acadêmicos de *melting-fusion*, parece-nos se assemelhar ao conceito de alegoria, entendida como sucessão ou encadeamento de metáforas, pois que o poeta tem total liberdade para atribuir significados às suas imagens, revertendo-se num caráter fechado e algo esotérico (lembremos a Plath leitora do *The Golden Bough*, de Frazer).[1]

Cabe ainda lembrar a lição de composição poética de Charles Olson, que se aplica à ideia plathiana de sucessão imagética: *"One perception must immediately and directly lead to a further perception"* ("Uma percepção deve conduzir, direta e imediatamente, a uma outra percepção").

Como bem colocou a ensaísta Marjorie Perloff, o estilo de Sylvia comporta uma analogia com as concepções poéticas de D. H. Lawrence, no que concerne à questão sob estudo, corroborando-se com o que ensina Octavio Paz em seu *O Arco e a Lira*: "D. H. Lawrence diz que a unidade do verso livre é dada pela imagem e não pela medida externa..."

Pensamos que esta seja uma vertente mais cristalina no que tange à compreensão da aparente "loucura", que tanto seduz no discurso de Sylvia

[1] Em seu estudo *Dois Aspectos da Linguagem e Dois Tipos de Afasia*, Roman Jakobson comenta a distinção feita por J. G. Frazer em seu *The Golden Bough: A Study in Magic and Religion*, entre os dois princípios que comandam os ritos mágicos: encantamentos baseados na lei da similaridade (homeopáticos), metafóricos; e encantamentos baseados na associação por contiguidade (magia por contágio), metonímicos. (Cf. *Linguistica e Comunicação*, São Paulo: Cultrix, p. 61).

Plath. Sua "narrativa" poética nos desconcerta, em certa medida, pelo clima alucinatório de imagens fechadas disparadas em nossa imaginação visual. Para usar o jargão poundiano, seria uma "fanopeia"-alucinógena, na qual a passagem ou fusão entre elas nos afiguraria quase arbitrária. O que seria um engano, uma vez que Plath visava, como sublinhamos, uma manipulação e uma conformação vigorosa do material emocional.

A título de exemplo mencionemos o poema *"Cut"*, que narra um acidente doméstico em que Sylvia corta seu polegar descascando uma cebola. Deste acidente desencadeia uma série de imagens e metáforas, que migram de um dedo cortado e passam para a comparação da pele com uma aba de chapéu. Em seguida, Sylvia toma o dedo pelo personagem dos contos infantis Pequeno Polegar, inclui que o escalpo do menino fora tirado pelos índios, passa a uma insólita comparação do sangue com o papo de um peru e que esse sangue mina do coração, desenrolando-se como uma esteira. O dedo que jorra sangue é tido como uma garrafa de champanhe que, uma vez aberta, espirra. Pelo corte, Sylvia vê seu sangue como os soldados da guerra da independência americana, os "jaquetas--vermelhas". A guerra é pretexto para citar outras guerras, inclusive que a dor do ferimento é a mesma dor de um kamikaze — lembremos que a bandeira japonesa é branca e vermelha. Branco e vermelho são associados ao curativo, razão pela qual ela lança rapidamente a imagem de um membro da Ku Klux Klan: o polegar num curativo pontudo — a máscara. Não fosse só isso, emergem referências a um moinho que lancina a polpa de um coração; um veterano apanhado numa armadilha ou uma menina vadia que, descuidando-se, fere-se.

Uma outra contribuição relevante de Plath, é imperioso mencionar, seria a sua leitura crítica da configuração estrófica de Dante Alighieri. Reforçando-se esta alegação com a assertiva de Charles Baudelaire de que "todos os grandes poetas se fazem naturalmente, fatalmente, críticos", a arte da poeta é, em larga margem, reflexiva pelo que se depreende de seus poemas.

Transgredindo a harmonia da terzina dantesca, com suas rimas precisamente posicionadas, Plath pretendeu criar uma respiração pessoal, um deslocamento que permitisse causar suspense e expectativa no leitor. Aliás, a título de argumentação, a técnica de Dante pautava-se na linguagem direta em imagens visuais claras, fatos, que, para a autora, por certo não passaram despercebidos.

A terzina de Alighieri repetia o padrão:

"Per me si va nella città dolente; (a)
Per me si va nell'eterno dolore; (b)
per me si va tra la perduta gente. (a)

"Giustizia mosse il mio alto Fattore; (b)
fecemi la divina Potestate, (c)
la somma Sapienza e il primo Amore." (b)

A percepção de Sylvia a obrigava a romper esta harmonia. Em seus versos, uma conformação que naturalmente seria:

"Herr God, Herr Lucifer, beware, beware.
Out of the ash I rise with my red hair...",

tornava-se mais estilhaçada, com uma respiração pessoal e misteriosa. No original:

"Herr God, Herr Lucifer
Beware
Beware.

"Out of the ash
I rise with my red hair..."

Ou ainda no poema *"Fever 103°"*

"I think I am going up,
I think I may rise —
The bead of hot melal fly, and I, Iove, I..."

Plath, irônica e criativa, trunca o mestre Dante, remetendo a leitura de seu texto para a atemporalidade das criações literárias de valor absoluto, no caso, *A Divina Comédia*. Esse diálogo, que, para Eliot, tinha um caráter de recuperação estrutural (o inferno dantesco a que os homens-ocos desta época estão irremediavelmente condenados), para Sylvia refletirá na sua composição, mais precisamente numa certa visualidade (veja-se o poema "Travessia") e na estrofação.

Com a aquisição dessa técnica pessoal, Sylvia Plath já estava madura para redigir seus poemas mais vivos. Em seu caderno de notas — *Cam-*

bridge Notes — datado de 1956, ela expressava o estado mental que a levaria a realizar seus poemas futuros:

> "O que mais me apavora, penso, é a morte da imaginação. Quando o céu lá fora é só cor-de-rosa e os telhados, negros: aquela mente fotográfica que paradoxalmente nos revela a verdade, mas a verdade do mundo, que nada vale. O que eu desejo é aquele espírito sintetizador, aquela força 'que dá forma' e que faz rebrotar prolificamente criando suas próprias palavras com mais inventividade do que Deus. Se eu me sento aqui e não faço nada, o mundo prossegue batendo como um tambor flácido, sem significado".

A temática de Plath baseia-se na problemática de sua existência, no seu "eu" centralizador que estende os tentáculos sobre um *epos* doméstico. Não fala jamais da condição humana de maneira geral, mas de si mesma, numa sucessão mórbida de "filha-vampira", "monstruosa rainha das abelhas", "vítima da radiação de Hiroshima", "múmia", "medusa", "judia", etc., em poemas de clima sombrio e noturno, tendo a lua por testemunha.

Sua percepção se detém sobre temas de morte, ódio, sangue, ferimentos, deformidades físicas, suicídio, febre, operações, abelhas, filhos e, evidentemente, infidelidade. Conformando e construindo seus personagens como seres quase inumanos, narrando ora com ódio, ora com medo, histeria, masoquismo, mas, principalmente, com ironia. Estas *personas* estão todas sob controle e são persuasivas, porque a voz de Plath possui autoridade, uma sincera confidência ao leitor, e, por vezes, chega à denúncia sem meias palavras, seduzindo pela "verdade dos fatos", aquele fato do cotidiano que é comum a muitas mulheres. Como frisamos acima, Plath controlava essa "voz" e, em certa medida, esta era a sua meta: o controle dos fatos para lhes dar o caráter de verdade, através de sua poesia. Sua arte não revela dados de irracionalidade: antes, ela é toda premeditada e competente.

Fica subentendido o percurso "morte-ressureição" no perfil de mensagem plathiano, um ciclo que envolve a adoração do ser amado — submissão — ressentimento — ódio — morte — ressuireição; porém, concordando com a ensaísta Helen Vendler, seus momentos poéticos mais altos são os que ilustram tanto a totalidade quanto o vazio do Universo, cujo exemplo mais belo seria o poema *"Words"*.

A poesia de Sylvia encerra uma outra característica curiosa: poucos poemas falam sobre o passado e nenhum deles projeta a imaginação da autora para o futuro (algo parecido com os últimos poemas de Hölderlin). As ações estão presas unicamente ao presente e a posição da poeta é de vítima: desamparada pelo pai, pelo marido, numa condição de mãe afetuosa mas doente (o que a leva a ironizar sistematicamente a terminologia psicanalítica). Suas palavras mais corriqueiras denotam uma impossibilidade de agir, de transformar a sua situação. Ocorrem palavras tais como: "intratável", "irrefutável", "inacessível", "inexorável", "irrecuperável", "infatigável", "intocável", "incapaz", "indeterminável", "indigerível", entre tantas outras semelhantes que retratam seu niilismo de dicção coloquial.

Seus símbolos são sobremaneira herméticos e obsessivos. Lua, velas, cavalo, espelho, nuvens, estátuas, árvores, abelhas são incessantemente evocados.

A lua para Sylvia Plath não indica de maneira alguma pureza, virgindade ou inocência. Sua lua é negra, mas se mascara de brancura. Ela é a inconstância, a esterilidade, doença, alienação e desespero. É comparada ao ciclo menstrual e justaposta à palavra *"drag"* ("dragar"), associa-se ao mar, às marés, como um ser que influencia malignamente sem que possamos impedi-lo. Uma outra palavra com que a poeta adjetiva a lua é *"bald"* ("nua", "calva"), referindo-se ao envelhecimento, à decadência, exacerbando assim as situações de opressão e terror.

O espelho comporta uma pluralidade de associações. Na maioria dos casos pode revelar não somente o ideal platônico, mas a conquista da realidade. O espelho é o aferidor da verdade e reflete o progresso diário em direção à morte. É, ademais, a projeção da individualidade almejada por Plath em sua vida e, como não há distinção, em sua poesia.

O grande tema, muito frequentemente, o símbolo "morte". subjaz em quase toda a obra plathiana. Ele é representado o tempo todo, nas entrelinhas, de viés. Os dados constantes de suas biografias — conquanto mitificadores — exemplificam estritamente que Sylvia tentou o suicídio mais de uma vez e que não haveria um desfecho que não resultasse em morte. Morte em sua obra significa o que quer significar, não obstante, como consta do depoimento da própria Plath, concorre para que ela se lance ao trabalho incansavelmente.

Acreditamos, assim, que a singularidade dos poemas de Sylvia Plath reuniria *sua* percepção emocional ao fluxo de imagens em estilhaços, alegorizando-os (como no poema "Ariel", seu exemplo mais bem-acabado), produzindo um impacto com sua aparente desorganização; somando-se à consequente conciliação da dicção coloquial e atualizada, com uma técnica extremamente clássica.

A resultante é a coesão invisível do poema, uma sólida unidade, retrato do ego vigoroso e fascinante da autora.

O que mais nos chama a atenção é esta unidade dos estilhaços imagéticos, este fôlego que não deixa o poema cair em nenhum instante. Citaremos como exemplo o poema *"Fever 103°"*, que ilustra convincentemente esta afirmação.

Parece-nos que Sylvia Plath previu seu leitor potencial, ou, ao menos, como este se comportaria. Teria, talvez, a ambição de constituir um estatuto de verdade, fatual e biográfico, por intermédio da poesia: toda a verdade dos fatos seria contada por cada um de seus poemas (suicídio que recria a aura do poema).

Daí o porquê da inclusão de detalhes minuciosos de seu cotidiano; a utilização de uma técnica limpa e sem grandes desvios sintáticos. A poeta desejava que suas denúncias chegassem intactas aos leitores, sem meios termos.

Acrescente-se ainda o modo meticuloso com que Plath datou quase toda a sua obra poética.

Dessa forma, ao leitor — sempre insatisfeito com as conclusões extraídas somente dos poemas — cabe buscar um desfecho que aprofunde e esclareça esse suicídio; forçado a migrar dos poemas para as biografias (nem sempre fidedignas).

A consumação da tragédia de Sylvia Plath é o fecho para a confirmação desses poemas, sem a qual, quem sabe, perdessem seu teor de verdade constituída e de perturbação moral.

A poeta quis exprimir seu ego, sua pessoalidade, com fragmentos, sem se transformar, contudo, em personagem. Com a súbita mitificação erigida sobre sua vida, seus poemas são esquecidos e ela ressurge como personagem de uma ficção, empobrecida.

Sua tragédia pessoal deve nos remeter antes à tragédia primordial do ser humano, que é, em última análise, a de rotular com sentido, palavras, o vazio da existência.

BIBLIOGRAFIA

PERLOFF, Marjorie. *Poetic License — Essays on Modernist and Postmodernist Lyrics*. Evaston (lllinois): Northestern University Press, 1990.

PLATH, Sylvia. *Johnny Panic and the Bible of Dreams*. Londres/ Boston: Faber & Faber Limited, 1977.

NIMS, John Frederick et alli. *Ariel Ascending — Writings about Sylvia Plath.* Nova York: Harper & Row, 1985.

CRONOLOGIA

1932 — Sylvia Plath nasce em 27 de outubro, em Boston, Massachusetts, EUA, filha de Otto Plath, de origem polonesa, professor de biologia na Universidade de Boston, autoridade mundial em abelhas, e de Aurelia Plath, de origem austríaca, professora de alemão.

1935 — Nascimento do irmão, Warren.

1940 — Primeiro poema publicado. Falecimento do pai.

1947 — Frequenta o Wellesley High School. Ganha prêmios de redação. Submete 45 contos à revista *Seventeen*.

1950 — Primeiro conto publicado. O poema *Bitter Strawberries* é aceito e publicado pelo *Christian Science Monitor*. Ingressa no Smith College, faculdade para mulheres. Dedica-se integralmente à literatura.

1951 — Ganha o concurso de ficção da revista de modas *Mademoiselle*, com o conto *Sunday at the Mintons*.

1952 — Agraciada com o prêmio de poesia do Smith College. É escolhida para um estágio como redatora na revista *Mademoiselle*. Entra em contato com a vida cultural de Nova York.

1953 — Primeira tentativa de suicídio. É internada para tratamento psiquiátrico e sofre eletrochoques.

1955 — Estuda alemão em Harvard. Frequenta cursos de "escrita criativa" e trabalha em sua tese de graduação *The Magic Mirror - A Study of the Double in Two of Dostoievski's Novels*. Interesse pela poesia de Dylan Thomas, John Crowe Ransom e Theodore Roethke.

1956 — Gradua-se em inglês com láurea acadêmica no Smith College. Ganha a bolsa de estudos Fulbright e vai estudar em Cambridge, Inglaterra. Conhece o futuro marido, o poeta inglês Ted Hughes.

1957 — Em 16 de junho, Bloomsday, casa-se com Ted Hughes. Começa a escrever os poemas que integrariam *The Colossus and Other Poems*.

1959 — Completa estudos no Newnham College. Muda-se com o marido para os Estados Unidos. É convidada para dar aulas no Smith College. Ted Hughes dá aulas na Universidade de Massachusetts. Sylvia Plath, neste mesmo ano, desiste da carreira de magistério.

1960 — Trabalha no Hospital Geral de Boston. Revê seu antigo psiquiatra. Frequenta cursos dirigidos pelo poeta Robert Lowell. Conhece

Anne Sexton e George Starbuck. Em dezembro retorna com o marido definitivamente para a Inglaterra.

Em 1º de abril nasce sua primeira filha, Frieda. Publicação de *The Colossus and Other Poems.*

1961 — Muda-se com a filha e o marido para uma casa de campo no condado de Devon. Redige *The Bell Jar*, sofre um aborto, uma apendicite e engravida novamente.

1962 — Em 17 de janeiro nasce o filho Nicholas. Divide seu tempo entre os cuidados com os filhos, a casa e a literatura. Assina contrato para a publicação do romance *The Bell Jar*. Segunda tentativa de suicídio, ou provavelmente uma simulação. Após férias na Irlanda, ela e o marido resolvem se separar. Em dezembro muda-se com os dois filhos para Londres, tendo descoberto o envolvimento de Ted com Assia Gutman.

1963 — Em 23 de janeiro seu romance *The Bell Jar* é publicado em Londres, sob o pseudônimo de Victoria Lucas. Na madrugada de 11 de fevereiro, comete o suicídio

1965 — Publicação de *Ariel.*

1981 — Publicação da obra poética completa *The Collected Poems.*

1985 — O livro *The Collected Poems* é agraciado com o prêmio Pulitzer na categoria Poesia.

OBRAS

The Colossus and Olher Poems (poesia) — 1960

The Bell Jar (romance) — 1963

Ariel (poesia) — 1965

Crossing the Water (poesia) — 1971

Winter Trees (poesia) — 1971

Letters Home: Correspondence 1950-1963 (cartas) — 1975

The Bed Book (juvenília) — 1976

Johnny Panic and the Bible of Dreams (ficção, diários e ensaios) — 1979

The Collected Poems (obra poética completa) — 1981

The Journals of Sylvia Plath (diários) — 1982

A *Iluminuras* dedica suas publicações à memória de sua sócia Beatriz Costa [1957-2020] e a de seu pai Alcides Jorge Costa [1925-2016].